Masterpiece

...

CB057399

Elise Broach

Masterpiece

CHEGOU A VEZ DE MARVIN NO MUNDO DA ARTE

Ilustrado por Kelly Murphy
Tradução de Maria José Silveira

Traduzido a partir da edição original de Língua Inglesa
Título original: Masterpiece
© Henry Holt & Company
© 2008 Texto Elise Broach
© 2008 Ilustrações Kelly Murphy
Todos os direitos reservados
© Copyight 2009 Editora Novo Conceito
Todos os direitos reservados.
1ª Impressão – Setembro de 2009

Editora: Marília Mendes
Produção Gráfica: Josiane Sozza
Comercial: Rubens Barbosa
Tradução: Maria José Silveira
Preparação de Texto: Marsely Dantas
Revisão de Texto: Beatriz Camacho
Capa e Diagramação: Spot Light

Este livro segue as regras do Novo Acordo Ortográfico da Língua Portuguesa.

Dados Internacionais de Catalogação na Publicação (CIP) (Câmara Brasileira do Livro, SP, Brasil)

Broach, Elise
  Masterpiece / Elise Broach ; ilustrado por Kelly Murphy ; tradução de Maria José Silveira. -- Ribeirão Preto, SP : Editora Novo Conceito, 2009.

  Título original: Masterpiece

  ISBN 978-85-99560-70-9

  1. Ficção - Literatura infanto-juvenil
  I. Murphy, Kelly. II. Título.

09-09571   CDD-028.5

Índices para catálogo sistemático:
1. Ficção : Literatura infantil 028.5
2. Ficção : Literatura infanto-juvenil 028.5

Rua Dr. Hugo Fortes, 1885 – Pq. Ind. Lagoinha
14095-260 – Ribeirão Preto – SP
www.editoranovoconceito.com.br

Para Zoe, Harry e Grace

"Ninguém vê uma flor, realmente; ela é tão pequena.
Não temos tempo, e ver requer tempo -
Como ter um amigo requer tempo."

Geórgia O'Keeffe

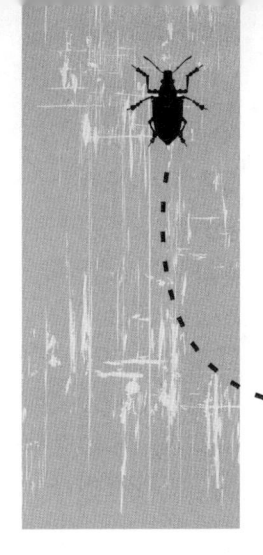

1 - Uma Emergência Doméstica

Lar, para a família de Marvin, era um canto úmido do armário debaixo da pia da cozinha. Ali, o vazamento de um cano tinha amaciado a argamassa e a esfarelado. Justo atrás da parede, a família de Marvin escavara três cômodos espaçosos, e, como seus pais sempre observavam, era um lugar perfeito. Era quente, por causa do cano de água quente embutido na parede; úmido, o que facilitava a escavação; e escuro e bolorento, como todas as outras casas em que a família vivera. Melhor de tudo, a lixeira de plástico branco que se assomava a um lado oferecia uma provisão constante de miolos de maçã, pão, farelos, casca de cebola e embrulhos de doces, fazendo do armário uma região ideal para pilhagem.

Marvin e seus parentes eram besouros. Tinham reluzentes cascos negros, seis pernas e excelente visão noturna. Eram de tamanho médio, no que se refere a besouros, não muito maiores do que uma passa. Mas eram muito ágeis: bons para escalar paredes, correr pelas bancadas, e deslizar por baixo de portas fechadas. Viviam no grande apartamento de uma família de humanos, os Pompadays, na cidade de Nova York.

Uma manhã, Marvin acordou e encontrou a família alvoroçada. Em geral, os primeiros sons do dia eram o sussurro suave de seus pais no quarto próximo e, à distância, o bater das panelas na pia da cozinha dos Pompadays. Mas hoje, escutou estalidos frenéticos dos saltos altos da Senhora Pompaday, e a voz dela, ansiosa e aguda. Justo quando estava começando a se perguntar o que havia acontecido, sua mãe veio procurá-lo muito apressada.

– Marvin! – ela gritou – Venha, rápido, querido! Temos uma emergência.

Marvin rastejou para fora da bola de algodão macio que era sua cama e, ainda só meio desperto, a seguiu até a sala de estar. Ali, seu pai, seu tio Albert e sua prima Elaine estavam mergulhados em uma conversa. Elaine correu até ele e agarrou uma de suas pernas.

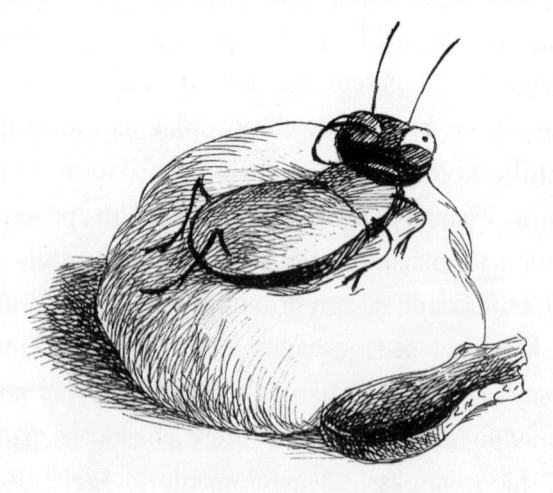

– A Sra. Pompaday perdeu uma de suas lentes de contato! Na pia do banheiro! E já que você é o único que sabe nadar, precisamos de você para ir pescá-la!

Marvin encolheu-se, surpreso, mas sua prima continuou alegremente.

– Ah! E se você afundar!

Marvin não estava nem de longe tão entusiasmado com essa possibilidade quanto Elaine.

– Não vou me afundar – disse, com firmeza. – Nado bem.

Praticava natação há quase um mês, em uma velha tampa de garrafa de suco cheia de água. Era o único membro de toda a sua família que sabia nadar, uma habilidade que fazia seus pais tanto se maravilharem como se darem o crédito por isso.

– Marvin tem uma coordenação excepcional, um controle perfeito das pernas – Mama comentava com frequência. – Me faz lembrar de minha época no balé.

– Quando põe na cabeça alguma coisa, não há como fazê-lo parar – Papa acrescentava orgulhoso. – Tal pai, tal filho.

Mas, nesse momento, essas palavras eram de pouco consolo para Marvin. Nadar em uma tampa de garrafa era uma coisa – tinha a profundidade de meia polegada. Nadar em um cano de escoamento era outra coisa completamente diferente. Andou pelo cômodo, nervoso.

Mama estava falando com tio Albert, parecendo zangada.

– Bom, acho melhor não! – exclamou – Ele é só uma criança. Deixe que os Pompadays chamem um encanador.

Papa sacudiu a cabeça.

– É muito arriscado. Se um encanador começa a mexer por aí, verá que a parede está apodrecendo. Vai dizer que precisam consertá-la, e isso vai ser o fim da casa de Albert e Edith.

9

Tio Albert assentiu vigorosamente e dirigiu-se a Marvin.

– Marvin, meu garoto, o que você diz? Terá de descer pelo cano do banheiro e encontrar a tal lente de contato. Acha que vai dar conta?

Marvin hesitou. Mama e Papa ainda estavam discutindo. Agora, Papa olhava para ele com cara de infeliz.

– Eu mesmo faria isso, filho, você sabe que eu faria, se soubesse nadar.

– Ninguém sabe nadar como Marvin – declarou Elaine –, mas até Marvin pode não ser capaz de nadar bem o bastante. A essa altura, provavelmente deve ter um bocado de água naquele cano. Quem sabe até onde ele terá de ir? – fez uma pausa dramática – Pode ser que ele nunca consiga voltar à superfície.

– Fique quieta, Elaine – disse o tio Albert.

Marvin pegou o fragmento de casca de amendoim que usava como boia quando nadava em sua própria piscina caseira. Respirou fundo.

– Posso tentar, pelo menos – disse a seus pais – Tomarei cuidado.

– Então vou com você – Mama decidiu – para ter certeza de que você não vai ser imprudente. E se parecer perigoso, mesmo só um pouco, não arriscaremos.

E assim, encaminharam-se para o banheiro dos Pompadays, com tio Albert abrindo o caminho. Marvin seguiu perto de sua mãe, a casca de amendoim enfiada de maneira desajeitada debaixo de uma de suas pernas.

∎ ∎ ∎

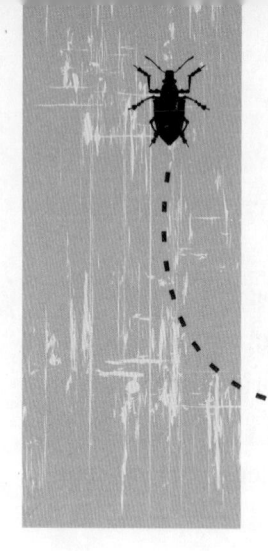

2 - Pelo Ralo

Levaram um bom tempo para chegar ao banheiro. Primeiro, tiveram que rastejar, saindo do armário para a luz radiante da manhã na cozinha dos Pompadays. Ali, o bebê William batia em seu cadeirão com uma colher, espalhando cereais por todo o chão. Em geral, os besouros esperam na sombra para agarrar um deles e levar para o almoço, mas hoje havia tarefas mais importantes à frente. Apressaram-se pelo rodapé até a sala de estar e, depois, começaram a viagem exaustiva sobre o tapete oriental, que pelo menos era azul escuro, assim não tiveram que se preocupar em serem vistos.

Durante todo o trajeto até o banheiro, Marvin escutava o Sr. e a Sra. Pompaday gritando um com o outro.

– Não entendo por que você não pode apenas tirar o cano e achar a lente – queixava-se a Sra. Pompaday. – Isso é o que Karl teria feito – Karl era o primeiro marido da Sra. Pompaday.

– *Você* que tire o cano e encontre a lente. E inunde o banheiro. Então, teremos que substituir não apenas suas lentes de contato – o Sr. Pompaday enfureceu-se. Foi pisando duro até o telefone – Vou chamar um encanador.

– Ah, ótimo – disse a Sra. Pompaday – Ele vai levar o dia todo para chegar até aqui. Tenho que ir para o trabalho em vinte minutos, e não sou capaz de achar o caminho da porta sem minhas lentes de contato.

James, filho da Sra. Pompaday em seu primeiro casamento, estava na soleira da porta. Com dez anos, era um garoto magro, de pés grandes, olhos cinzentos sérios e sardas salpicadas sobre as bochechas. Iria fazer onze anos amanhã, e Marvin e sua família estavam tentando pensar em alguma coisa legal para fazer para o aniversário dele, pois gostavam infinitamente mais dele do que do resto da família Pompaday. James era quieto e sensato, e era pouco provável que fizesse movimentos súbitos ou levantasse a voz.

Ao vê-lo agora, Marvin recordou como James o vira de relance uma vez, poucas semanas atrás, quando Marvin estava arrastando para casa um M&M que achara para a sobremesa da família. Marvin estava tão encantado com sua boa sorte que se esquecera de ficar perto do rodapé. Ali estava ele, no meio do mar aberto de ladrilhos de cor creme da cozinha, quando o tênis azul de James parou ao seu lado. Marvin entrou em pânico, deixou cair o M&M, e correu para tentar salvar sua vida. Mas James apenas se ajoelhou e o observou, sem dizer nenhuma palavra.

Marvin não havia contado a seus pais sobre aquele encontro particularmente íntimo. Jurou a si mesmo que seria mais cuidadoso no futuro.

Agora, James deslocava-se cuidadosamente com aqueles mesmos tênis azuis.

– Você pode usar seus óculos, mamãe – disse.

– Ah, ótimo – disse a Sra. Pompaday – Usar meus óculos. Ótimo. Imagino que não tenha importância o modo como devo me apresentar quando vou encontrar clientes. Talvez pudesse ir trabalhar com meu roupão de banho.

A essa altura, tio Albert, Marvin e sua mãe tinham chegado à porta do quarto, e o banheiro ficava ainda além. Lamentavelmente, os três humanos estavam efetivamente bloqueando a rota. Três pares irrequietos de pés – um de tênis, outro de salto alto, e um de mocassim – tornavam difícil encontrar um caminho seguro.

– Fique perto de mim – Mama disse a Marvin. Ela se apressou pelo marco da porta. Esquivando-se das pontas dos saltos da Sra. Pompaday; Marvin e tio Albert seguiram atrás.

Chegaram à parede do banheiro e subiram até a pia sem acidentes. Normalmente, o azulejo claro teria transformado os três em alvos fáceis para um jornal enrolado ou a sola de um chinelo. Mas os Pompadays estavam tão envolvidos em sua discussão que não repararam nos lustrosos besouros negros escalando a pia.

– Vou ficar de sentinela – disse tio Albert – Vocês dois vão em frente.

Marvin e sua mãe rolaram e deslizaram pelo lado liso da pia até o ralo. Enfiaram-se pelo tampão prateado e ficaram à beira do cano aberto, olhando a escuridão.

Marvin podia escutar um som gotejante à distância. Quando seus olhos se ajustaram, viu água, escura e nada convidativa, poucos centímetros abaixo. Pensou na previsão sombria da prima Elaine e tremeu. Por que sua mãe não tomara uma posição mais firme contra isso?

– Bem... aqui vou eu – disse para a Mama, que prontamente agarrou a perna dele e a segurou firme.

– Não vá fazer nada apressado, querido – disse-lhe – Vá devagar, e volte direto pra cá se alguma coisa parecer perigosa.

– Está bem – prometeu Marvin. Ele apertou sua boia de amendoim e respirou fundo. Depois, lançou-se no vazio.

Mal lembrou-se de fechar os olhos antes de a água fria se fechar sobre sua cabeça. Pedalando freneticamente as pernas, subiu balouçando de volta à superfície. A água suja tinha um gosto vago de pasta dental. Cheirava horrivelmente.

15

– Marvin? Marvin, você está bem? – a voz da Mama ecoava fraca pelo cano.

– Estou bem – gritou de volta.

Nadou pela água espumosa, cheia de todas as coisas desagradáveis que podem escorrer pelo ralo de um humano: pedaços de comida, cabelo, restos de sabão. Queria vomitar.

– Já está vendo a lente? – sua mãe gritou.

– Não – Marvin respondeu. De repente, percebeu que não tinha ideia de como era uma lente de contato.

Então, quando estava quase retornando, viu alguma coisa: um fino disco plástico, grudado em um lado do cano. Parecia a tigela para frutas que mama usava em casa. Sem fôlego, gritou para a superfície.

– Achei, Mama! – Berrou.

– Oh, maravilha, querido – sua mãe deu um suspiro de alívio. – Agora, é melhor se apressar, antes que alguém ligue a torneira e nos arraste para o fundo.

Marvin descobriu que não podia segurar a lente de contato e a casca de amendoim ao mesmo tempo. Relutantemente, soltou a casca, respirou fundo e mergulhou na água outra vez.

Na distância, ouvia sua mãe gritar: "Marvin! Sua boia!" Mas, sem o peso da casca de amendoim, moveu rapidamente as pernas, e deslizou pela água escura. Nadou direto até a lente de contato e a agarrou com suas duas pernas da frente. Puxando-a da parede do cano, saiu rápido à superfície. Pela lente, viu sua mãe, ondulada e deformada, assomar sobre ele. Ela havia rastejado pelo cano até a beira da água, acenando para ele.

– Oh, Marvin, graças aos céus. Você é um espetáculo, querido. Que controle das pernas. Queria que minha velha turma de balé visse você. – Pegou a lente dele. – Eca! A água cheira completamente podre. E que alvoroço por causa dessa coisica! Ora, é exatamente igual à minha tigela de frutas.

Segurando-a com cuidado nas costas, Mama rastejou subindo o cano. Passou em disparada pela tampa, com Marvin bem atrás dela, e juntos arrastaram a lente até a beirada da pia.

Tio Albert correu ao encontro deles.

– Por George, você conseguiu! – gritou – Marvin, meu garoto, você é um herói! Um herói! Espere eu contar pra sua tia Edith!

Marvin sorriu modestamente. Flexionou suas pernas e sacudiu-as para secar.

– Vamos ver, onde devemos colocá-la? – Mama perguntou. Olharam em volta.

– Ao lado da torneira, talvez – Marvin sugeriu – Assim, não vai ser arrastada pelo cano outra vez.

Colocaram a lente perto do cabo da torneira da água quente e dispararam para trás de um copo verde justo quando James entrava no banheiro.

– Depois de todo esse trabalho, é melhor acharem essa lente de contato – Mama sussurrou, ameaçadora. Marvin manteve os olhos na lente. Ela reluzia na luz da manhã, uma cor fracamente azulada.

Escutaram o Sr. Pompaday no telefone com o encanador.

– Como? Ah, está bem, vou olhar. James! Você está no banheiro? Faça alguma coisa de útil. Os canos aí são de cobre ou de aço galvanizado?

James ficou de pé na frente da pia.

– Não sei – disse – Mas, mamãe, achei sua lente! Está bem aqui perto da torneira.

E então houve uma comoção: a Sra. Pompaday correndo para o banheiro, sem acreditar, o Sr. Pompaday, em voz alta, desculpando-se com o encanador, e James levantando a lente de contato em sua palma aberta.

– Bom, acho que agora acabou – Mama disse para Marvin assim que o banheiro se esvaziou. – É melhor voltarmos e contarmos para seu pai que você está bem.

Assim, Mama, tio Albert, e Marvin foram juntos para casa, onde todos os cumprimentaram alegremente. Papa, tia Edith e Elaine, todos deram palmadinhas na carapaça de Marvin, mas ninguém quis abraçá-lo. Ele estava molhado e grudento, e cheirava horrivelmente a água de esgoto.

– Acho que preciso de um banho – Marvin disse.

E então, Mama e Papa o cumularam de atenções, enchendo a tampa da garrafa com água morna e acrescentando um grãozinho do detergente turquesa do lava-louça. Marvin mergulhou na espuma e flutuou na piscina como quis, até ficar reluzente e limpo outra vez.

■ ■ ■

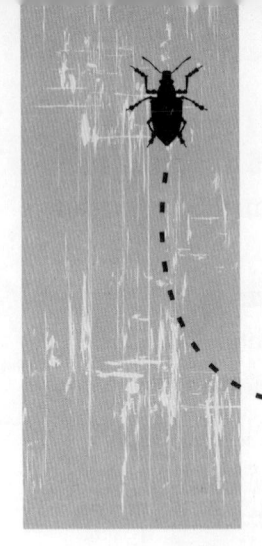

3 - A Festa de Aniversário

O dia seguinte era sábado, o aniversário de James. Ia ter uma festa, uma das grandes, e a sala de jantar dos Pompadays estava enfeitada com bandeirolas e balões. Enquanto Marvin e seus parentes procuravam alimentos para o desjejum debaixo da mesa da cozinha, escutavam os planos.

– Não quero os garotos comendo na sala de estar – a Sra. Pompaday disse a James – Quero todos à mesa na hora do bolo.

– Mas, mãe – disse James – Não posso falar para eles o que devem fazer. Eles nem são meus amigos.

William batia de maneira ensurdecedora na bandeja de seu cadeirão com uma colher e gritava para James – Ae ae! Ae ae!

– Pelo que Marvin sabia, isso queria dizer James na linguagem muito limitada, mas esforçada, de William.

– Que garotão você é! – a Sra. Pompaday cantarolou, limpando o rosto do bebê com uma toalha. Virou-se para James – O que você quer dizer com "eles nem são seus amigos"?

Ora, os Fentons moram no andar de cima. Você vê Max todos os dias.

James suspirou.

– Eles são clientes muito importantes para mim, os Fentons. Tenho várias referências deles, e você sabe, isso é o coração do meu negócio. Boca a boca – embaixo da mesa, Mama e Papa olharam um para o outro e reviraram os olhos – Portanto, espero que você trate Max muito bem, querido – a Sra. Pompaday continuou.

Mama balançou a cabeça, sussurrando – Clientes! Será que ele vai ter pelo menos um único de seus próprios amigos em sua festa? – perguntou.

– Claro que não – Papa respondeu.

Marvin havia visto suficientes festas da Sra. Pompaday para saber que seus pais estavam certos. Fosse qual fosse a ocasião, a lista de convidados era sempre uma lista indefinida de pessoas com quem ela trabalhava ou com quem queria trabalhar e, durante toda a festa, a Sra. Pompaday flutuava bajuladora, de uma pessoa a outra, confidenciando dicas arrogantes sobre o mercado imobiliário de Manhattan.

A Sra. Pompaday puxou William do cadeirão e disse encorajadora:

— Um mágico vai vir, lembra? Você sabe o quanto adora mágica, James.

James hesitou.

— Mamãe...você não acha que isso é o tipo de coisa para festas de crianças pequenas?

— Besteira, querido. Todos adoram mágicos. São como palhaços.

Pessoalmente, Marvin detestava palhaços, que via bastante na televisão porque o Sr. Pompaday tinha um antigo fascínio por circos. Marvin achava os palhaços amedrontadores e indignos de confiança, com as caras pintadas e expressões exageradas, sempre tentando provocar risos em desconhecidos.

Os besouros tinham aprendido a maior parte do que sabiam sobre o mundo de fora com a corrente infindável dos programas de televisão dos Pompadays. Os favoritos da Sra. Pompaday eram as séries de hospitais e novelas, enquanto o Sr. Pompaday preferia documentários longos sobre tópicos obscuros. James gostava de desenhos animados, que Marvin achava coloridos e bastante satisfatórios, especialmente quando apresentavam um inseto heroico ou particularmente energético. A melhor coisa da televisão na casa dos Pompadays era que os Pompadays gostavam de comer petiscos enquanto assistiam aos programas, portanto os besouros podiam contar com um verdadeiro banquete de grãos de pipoca, passas e migalhas de batatas fritas no final da noite.

Marvin observava James, que estava balançando um dos tênis.

– Mamãe – disse James –, você acha que o papai virá?

– Não sei, James. Ele disse que ia tentar. Mas vai ser uma festa maravilhosa, você vai ver! – a Sra. Pompaday foi até ele e beijou o topo de sua cabeça. – Pare de choramingar. É seu aniversário! Venha me ajudar com os saquinhos de bala.

O pai de James era um artista, fazia grandes pinturas abstratas, uma das quais, uma tela na maior parte azul, chamada "Cavalo", estava pendurada acima do sofá na sala de estar. Era uma fonte constante de tensão entre a Sra. Pompaday e seu segundo marido.

– Não sei por que tenho que olhar para isso todas as noites – queixava-se o Sr. Pompaday – Não parece um cavalo. Sequer parece um animal. James poderia ter pintado isso.

A resposta da Sra. Pompaday era sempre a mesma.

– Ah, para. Ele vem com o tapete. Você sabe como é difícil combinar um tapete oriental?

Marvin secretamente admirava muito o quadro. Algumas vezes subia até o alto do abajur de pé de cobre para ver melhor a pincelada confiante do centro. Embora a pintura não parecesse um cavalo, dava a *sensação* de um cavalo: rápido e elegante e livre.

– O que vamos dar para James em seu aniversário? – perguntou aos pais, enquanto puxavam dois flocos de cereais e um pedaço de torrada amanteigada até o armário – Tem que ser algo *espetacular*.

– Procure na caixa de tesouros – Mama disse – Tenho certeza que vai encontrar o presente perfeito.

A caixa de tesouro era um estojo de brinco aberto, de veludo, que havia sido realmente muito difícil de puxar e empurrar até a casa dos besouros. Estava cheio com o tipo de coisas miúdas que os humanos tendem a deixar cair ou colocar em lugar errado, itens que rolavam por baixo dos móveis ou ficavam presos nas brechas entre as tábuas do chão – ou, enquanto William se tornava mais habilidoso, as coisas que ele gostava de enfiar pelas aberturas do aquecedor. Nesse momento, a caixa de tesouro continha alguns clipes de papel, duas moedas, um botão, uma fivela de ouro para gravata, o fino lingote de prata que uma vez manteve uma correia do relógio no lugar, uma borracha pequena, uma tampa de caneta e, o mais valioso de todos os objetos, um único brinco de pérola.

Os besouros sabiam que o brinco de pérola encontrado nos destroços da festa anual dos feriados dos Pompadays, pertencia a uma cliente favorita da Sra. Pompaday, que telefonara no dia seguinte, toda chateada com sua perda. Geralmente, Mama considerava, convictamente, que os itens particularmente valiosos deviam ser devolvidos a seus proprietários humanos (o que significava apenas que os besouros os levariam até algum lugar óbvio da casa, deixando-os completamente à vista, onde seriam inevitavelmente descobertos, provocando exclamações de alívio). No entanto, nesse caso, o Sr. e a Sra. Pompaday tinham sido tão desagradáveis com James no dia seguinte à festa – repreendendo-o por um prato de porcelana que ele, acidentalmente, havia deixado cair quando sua mãe lhe pediu para lavar a louça – que os besouros não se sentiram estimulados a devolver o brinco de pérola.

– Não acho que tenha nada bom para James na caixa de tesouros – Marvin disse, preocupado – Nenhuma dessas coisas é dele.

– Ele tem algum eletrônico precisando de conserto? – Mama perguntou – Rádio, relógio? Caixa de som? Com certeza, Albert consertaria com prazer alguma coisa para ele.

Tio Albert tinha preparo para fazer serviços de eletricista, uma habilidade particularmente útil no apartamento nada novo dos Pompaday. Mais de uma vez, consertou o fio defeituoso do termostato deles... embora, no processo, algumas vezes tenha aumentado o calor do apartamento para níveis insuportáveis. "Coisa complicada, termostatos", sempre dizia.

– Não, acho que não – respondeu Marvin – Não o vi se queixar de nada. – Embora, pensou, James não fosse do tipo de se queixar.

– Que tal uma das moedas da caixa dos tesouros? – sugeriu Papa – Acho que tem uma moeda de búfalo.

Marvin pensou um pouco. Será que James repararia que era uma moeda especial? Provavelmente. James era do tipo que repara nas coisas.

– Talvez – disse – Se não conseguirmos achar outra coisa melhor.

A festa foi um desastre estrondoso. O Sr. Pompaday foi despachado para o parque com William, enquanto onze garotos cheios de energia, nenhum dos quais deu qualquer atenção a James, corriam pelo apartamento. Eles amontoaram os presentes elaboradamente embrulhados no aparador, depois seguiram como boiada de cômodo a cômodo, gritando alto. Quebraram um puxador do estéreo. Derramaram refrigerante no tapete da sala de estar. Trancaram um garoto pequeno e nervoso, chamado Simon, no armário de James sem que ninguém percebesse sua falta. Quando o mágico chegou, alegremente o atormentaram, berrando desmancha-prazeres – "Tá na outra mão! Eu vi!" – enquanto ele realizava seus truques. Um garoto enfiou a cara na sacola de couro dos acessórios, quando o mágico não estava olhando, e triunfantemente levantou um par de algemas, "Vamos brincar de cadeia!"

Marvin observou todo o acontecimento de um ponto seguro e favorável, atrás da barra do sofá da sala de estar. Pares de tênis passavam correndo por ele, guinchando na madeira do piso. Manteve-se cuidadosamente fora da vista, atendendo ao aviso da Mama: "Seja o que for que você fizer, querido, não os deixe verem você. Esses são o tipo de garotos que puxam as pernas de um besouro só para se divertir." Era um refrão muito repetido entre os besouros que as festas humanas não eram lugar para os de sua espécie. Marvin lembrava-se perfeitamente bem do destino de seu avô, esmagado por um salto *stiletto* enquanto ia atrás de um pedaço de bacon durante a festa dos Pompadays para conhecer os vizinhos.

Por trás da barra, Marvin viu James sentado quieto de um lado. A Sra. Pompaday ficava tentando empurrá-lo, exasperada:

– James! Não fique aí sentado desse jeito. Mostre aos garotos seu novo computador.

– James, agradeça ao Henry pelo lindo suéter vermelho. Será perfeito para o Dia dos Namorados.

– James, conte ao Max como nos divertimos de patins na semana passada. No rinque do Rockfeller Center, Max. Adoramos patinar nas tardes dos dias de semana, quando não tem tantos turistas. Levaremos você da próxima vez, que tal?

Por ter ouvido uma conversa passada, Marvin sabia que os Pompadays tinham ido ao rinque exatamente uma vez, que a

Sra. Pompaday deixara James lá enquanto ia ao outro lado da rua, na Saks, comprar um presente de casamento, e que James, que não sabia patinar, passara a hora se apoiando nas laterais, desequilibrando-se ao redor do círculo. Enquanto patinadores mais experientes passavam velozes por ele.

A campainha tocou e a Sra. Pompaday bateu palmas, sorrindo alegremente.

– Ah, vejam as horas! Seus pais estão aqui, garotos – levou-os até a saída – Vamos, peguem seus saquinhos de confeitos! James, querido, fique na porta e vá entregando-os.

Marvin, arriscando-se a ser visto, correu pelo rodapé até o vestíbulo de piso de mármore. Quando a Sra. Pompaday abriu a porta, no entanto, não era a esperada cavalgada de pais, era Karl Terik, o pai de James. A Sra. Pompaday deu um passo atrás, decepcionada.

– Karl.

Os garotos saíram ruidosos e indiferentes. Todo o rosto de James se iluminou.

– Papai! Você veio.

O pai de James era um homenzarrão de cabelos castanhos compridos e uma barba bagunçada. Tinha um sorriso cálido, gentil, que Marvin gostava porque se espalhava por seu rosto tão devagar que tinha que ser verdadeiro.

– Ei, companheiro – disse a James. – É claro que vim... É seu aniversário! – Agarrou James pelos dois ombros e o envolveu em um abraço.

– Você pode entrar por um minuto – a Sra. Pompaday disse, seca –, mas os garotos estão quase indo embora, e preciso que James dê a eles os saquinhos de confeitos enquanto eu falo com os seus pais.

– Fazendo negócios? – Karl perguntou, ainda sorrindo.

– Não, não – a Sra. Pompaday disse, com um gesto de negativa, depois acrescentou em voz mais baixa – mas você vai ver que o filho de Meredith Steinberg está aqui, e eles estão procurando um apartamento clássico de seis cômodos, portanto, não vai fazer mal nenhum se eu conversar um pouco com ela.

Marvin muitas vezes se perguntava como alguém tipo Karl Terik poderia alguma vez ter se casado com a Sra. Pompaday.

Pareciam profundamente diferentes. Uma vez, escutara James fazer a seu pai uma pergunta parecida, hesitando, como se não tivesse muito seguro de querer escutar a resposta. Karl tinha dito simplesmente: "Sua mãe tem um gosto excelente. Sempre teve, desde o dia que a conheci. Um olho para a beleza é uma coisa rara."

Bom gosto, para Marvin, não parecia servir muito como base para o amor. Mas, então, na verdade não tinha sido mesmo.

Karl estava desarrumando o cabelo de James com uma das mãos.

– Comprei uma coisa para você – disse, colocando uma sacola de plástico amassada na mesinha do vestíbulo.

Marvin avançou um pouco do rodapé, tentando ver. O que era? O que James gostaria que fosse?

James sorriu para seu pai e procurou lá dentro. Tirou uma pequena caixa azul marinho, a qual abriu com cuidado.

– Oh – disse.

Marvin rapidamente subiu por uma das pernas envernizadas e escorregadias da mesa para dar uma olhada. A caixa continha uma pequena garrafa de vidro atarracada com um líquido escuro dentro.

– É tinta – disse Karl.

James não disse nada, virando-a na mão. Marvin podia ver que ele estava desapontado.

– É um conjunto de pena e tinteiro. Para desenhar. – Karl procurou no saco e tirou uma caixa preta achatada. – Aqui está a pena. Veja, tem suas iniciais, assim todo mundo saberá que é sua. – Marvin viu três nítidas letras douradas no estojo. – E trouxe também um bloco de papel especial – Karl acrescentou.

James inclinou o tinteiro, observando o líquido deslizar lá dentro, pegando a luz.

– Legal – disse. Olhou para o pai – Obrigado, papai. É muito legal.

– É tinta permanente? – a Sra. Pompaday perguntou – Mancha?

– Bem, sim... Isso é o que você usa para desenhos de bico de pena.

A Sra. Pompaday suspirou.

– É melhor colocar em seu quarto, James. Na sua escrivaninha. Não quero tinta espalhada pela casa – balançou a cabeça – Realmente, Karl. Isso não parece um presente muito apropriado para onze anos de idade.

Karl se mexeu, desconfortável.

– Ele vai ser cuidadoso, você sabe disso. James é cuidadoso com tudo.

A Sra. Pompaday deu um sorrisinho de desdém.

– Será divertido para ele experimentar – disse Karl, passando um braço sobre os ombros magros de James e puxando-o mais perto – Olhe a pena, companheiro.

James levantou a pena e desatarraxou a tampa. Marvin viu que era fina e elegante, com uma delicada ponta de prata.

– Uau – disse James, claramente tentando mostrar algum entusiasmo.

– É assim que você coloca tinta na pena – disse Karl, demonstrando – Observe a posição de sua mão ao desenhar, para não borrar com a tinta. Levará um tempinho para pegar o jeito.

A campainha tocou outra vez.

– Ah, aqui estão eles – exclamou a Sra. Pompaday – Meninos! James, rápido, os sacos de confeitos. – Empurrou Karl para a porta – Você poderá lhe ensinar isso amanhã quando ele estiver com você – disse. – Você virá pegá-lo ao meio dia?

– Sim, ou um pouco mais tarde. Está combinado, James?

James olhou de seu pai para sua mãe e assentiu, rápido.

– Claro, papai.

A Sra. Pompaday franziu os lábios, apressando-se.

– Bom, eu gostaria de saber a que horas devo te esperar. Temos planos para amanhã à tarde. Se você for cancelar, como da última vez, precisa pelo menos telefonar! Não é justo com James, e com certeza não é justo comigo. Eu também tenho minha vida, sabe.

– Sinto muito – disse Karl, humilde. – É que as coisas acontecem, só isso.

A Sra. Pompaday abriu a porta e sorriu com gosto.

– Julie! Nós nos divertimos muitíssimo; nem percebemos que estava tão tarde. Você vai ter trabalho para tirar Ryan daqui! Ah, este é o pai de James, Karl Terik. Sim, correto, o pintor. Ele já está indo embora.

■ ■ ■

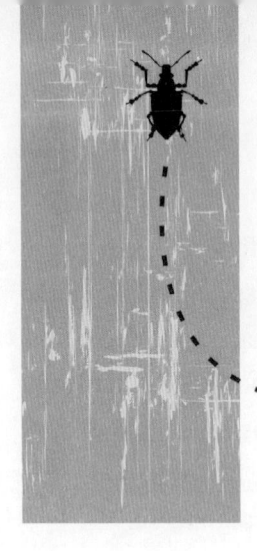

4 - Um Presente para James

Naquela noite, quando a casa ficou quieta, Marvin e Elaine procuraram na caixa de tesouros. Seus pais estavam jogando um jogo de grampos no outro cômodo. Os grampos eram a versão modificada do jogo de ferradura dos humanos para os besouros, no qual dois times jogam grampos em palitos de dentes quebrados enfiados no chão. Como cada besouro pode lançar quatro grampos de uma vez, usando suas pernas dianteiras, o ar ficava cheio de objetos afiados zunindo, e os adultos preferiam isolar as crianças em outra parte da casa antes de começarem.

– Cuidado, Albert! – Marvin escutou a exclamação de sua mãe. – Já temos buracos suficientes na parede.

Marvin e Elaine espiavam dentro da caixa de tesouro, procurando o presente perfeito para James.

– Tem a moeda – disse Marvin.

– Uuuu, uma moeda de búfalo! – exclamou Elaine – Ele

vai gostar, você não acha? Elas são raras. Ele pode vendê-la e comprar alguma coisa melhor. Isso é o que eu faria.

Marvin tocou a superfície fosca da moeda.

– Acho que é a melhor coisa daqui – disse –, mas preferia dar a ele alguma coisa que pudesse guardar.

– Bom, talvez ele a guarde – Elaine disse, alegre – Meninos gostam de guardar as coisas mais bobas. Veja você com sua coleção de tachinhas. Como você as usará algum dia?

– São *armas* – protestou Marvin.

Elaine riu tanto que caiu da beirada da caixa, de costas para baixo, os pés batendo no ar.

– Ah! Ajude-me! Marvin, venha me virar.

Porém, Marvin a ignorou. Enfiou-se por baixo da moeda e usou sua carapaça para jogá-la para fora da caixa de tesouro. Depois, colocou-a de pé e a rolou pelo buraco da parede para dentro da extensão escura do armário.

– Marvin! – Elaine gritava. – Volte aqui!

A jornada pelo apartamento escuro até o quarto de James foi árdua. Rolar a moeda pelo azulejo da cozinha foi relativamente fácil, mas içá-la pelas soleiras das portas deixou Marvin exausto e arfando. Tinha que prestar atenção nos perigos a cada passo do caminho, não apenas pelos Pompadays perambulando à noite, mas pelas armadilhas para trouxas, de chicletes esquecidos a fitas de durex no chão ou, pior ainda, um rato à caça de comida.

Quando finalmente chegou ao quarto de James, teve que se sentar um pouco para retomar o fôlego. Uma lâmpada de rua do lado de fora da janela lançava uma luz pálida pelas paredes, e na escuridão azulada, Marvin viu a silhueta montanhosa de James, dormindo sob os cobertores. Escutou a respiração profunda do garoto.

Marvin pensou na festa de aniversário. Tinha sido um dia divertido para James? Os garotos na festa não eram seus amigos. Os presentes eram uma mistura pouco inspirada de jogos eletrônicos e roupas de marca. A Sra. Pompaday estava tão agitada e autocentrada, como sempre, e até o pai de James, de quem Marvin gostava bastante, não apareceu com um presente que parecesse ter deixado o filho feliz. Marvin deu uma olhada no rosto gasto do búfalo da moeda. Será que a moeda poderia compensar tudo o mais? Provavelmente não.

De repente, Marvin ficou tão triste que mal podia suportar. O aniversário de uma pessoa deveria ser um dia especial, um dia maravilhoso, um dia de pura celebração pela sorte de ter nascido. E o aniversário de James tinha sido horrível.

Marvin rolou a moeda até um local proeminente no meio do piso, longe da beira do tapete, onde poderia passar despercebida. Ali, James a veria. Olhou em torno do quarto escuro uma última vez.

Então, viu o tinteiro. Estava bem em cima da escrivaninha de James, e parecia estar aberto.

Curioso, Marvin rastejou pelo chão até a escrivaninha e rapidamente subiu até o tampo. James havia espalhado folhas de jornal sobre ele e duas ou três folhas do papel de desenhar que seu pai lhe dera. Em uma página, havia feito alguns rabiscos experimentais e escrito seu nome. A pena, bem tampada, estava do lado do papel, mas o tinteiro estava aberto, reluzindo na luz fraca.

Sem realmente pensar sobre o que estava fazendo, Marvin foi até a tampa do tinteiro e mergulhou suas duas pernas dianteiras na tinta que se acumulara dentro. Apoiado em suas pernas traseiras limpas, retrocedeu para uma folha de papel em branco. Olhou pela janela, para a paisagem noturna da rua: o prédio marrom do lado oposto com suas fileiras de janelas escuras, o topo do telhado empoeirado de neve, a lâmpada da rua, os galhos nus, como aranhas, de uma única árvore. Suavemente, delicadamente, e com imensa concentração, Marvin abaixou suas pernas dianteiras e começou a desenhar.

A tinta fluía suavemente de suas pernas pela página. Embora nunca tivesse feito nada parecido antes, parecia-lhe completamente natural, até mesmo impossível parar. Olhava para cima, percorrendo os detalhes da cena com os olhos, depois transferia-os para o papel. Era como se suas penas tivessem esperado toda a sua vida por esta tinta, este papel, esta vista da janela iluminada pela lâmpada. Não havia como descrever seu sentimento. Emocionava Marvin até seu âmago profundo.

Desenhou e desenhou, perdendo todo o sentido de tempo. Movia-se para trás e para frente entre a tampa do tinteiro e o papel, mergulhando suas pernas dianteiras gentilmente na poça de tinta preta, sempre cuidadoso para não manchar seu trabalho prévio. Viu a pintura tomando forma frente a seus olhos. Era uma cobertura complicada de linhas e giros que pareciam um desenho abstrato de perto, enquanto Marvin estava debruçado sobre ele. Mas, ao afastar-se, o desenho transformava-se em um meticuloso retrato da paisagem da cidade: uma minúscula e detalhada réplica da cena de inverno do outro lado da janela.

E então a luz mudou. O céu, de preto ou azul escuro, passou para cinza, a luz da lâmpada apagou-se e o quarto de James se encheu com o barulho da cidade despertando. Um caminhão de lixo roncou e estrepitou ao passar na rua abaixo. James mexeu debaixo de suas cobertas. Marvin, desesperado para terminar seu desenho antes do menino acordar, apressou-se entre a folha e a tampa, que estava quase sem tinta. Por fim, parou, observando sua cena em miniatura.

Estava terminada.
Estava perfeita.
Era comovente.

O coração de Marvin se encheu. Sentiu como se nunca tivesse feito nada tão bom ou importante em toda a sua vida. Limpou no jornal suas pernas ensopadas de tinta e disparou para trás do abajur da escrivaninha, explodindo de orgulho, em uma febre de expectativa, justo quando James jogou fora as cobertas.

James tropeçou para fora da cama e ficou de pé no centro do quarto, esfregando o rosto. Olhou em torno, semidesperto, então endireitou-se, seus olhos brilhando em direção ao chão.

– Ei! – disse baixinho. Chegou perto da moeda e agachou-se para pegá-la.

Que bom para James, pensou Marvin. Claro que não havia razão para achar que ele não a veria.

James virou a moeda na palma da mão e sorriu.

– Hum – disse, caminhando em direção à escrivaninha. – De onde será que isso veio?

Marvin se endureceu e retrocedeu ainda mais para trás do abajur.

James prendeu a respiração.

Marvin viu o rosto pálido de James, os olhos enormes fixarem-se no desenho. Rapidamente, olhou para trás, como se o quarto tivesse alguma pista que explicasse o que estava vendo na escrivaninha.

Depois, devagar, sobrancelhas franzidas, James puxou a cadeira e se sentou. Inclinou-se sobre o desenho.

– Uau – disse – Uau!

Marvin se esticou de orgulho.

James ficou examinando o desenho, depois, a cena vista da janela, sussurrando para si mesmo – É exatamente o que está lá fora! É um quadro pequenino da rua! Que coisa!

Marvin rastejou em volta da base do abajur para escutar melhor o garoto.

– Mas... como? – James pegou a pena e tirou sua tampa, apertando os olhos. Levantou o tinteiro e franziu a testa, atarraxando a tampa de volta.

– Quem fez isso? – perguntou, olhando de novo para o desenho.

E então, sem planejar – sem saber exatamente o que fazia, sem pensar sequer um momento sobre as consequências – Marvin viu-se rastejando para o espaço aberto, pelo vasto tampo da escrivaninha, diretamente na frente de James. Parou ao lado do desenho e esperou, incapaz de respirar.

James olhou para ele.

Depois de um longo, interminável silêncio, durante o qual Marvin quase disparou para a segurança das ranhuras dos entalhes da madeira atrás da escrivaninha, James falou.

– Foi você, não foi? – disse.

Marvin esperou.

– Mas como?

Marvin hesitou. Depois, rastejou até o tinteiro.

James estendeu a mão sobre a escrivaninha, e Marvin encolheu-se quando enormes dedos rosados passaram assustadoramente perto de sua carapaça. Mas o garoto o evitou, levantando com cuidado o tinteiro e sacudindo-o. Desatarraxou a tampa e a colocou perto de Marvin.

– Mostra pra mim – sussurrou.

Marvin mergulhou suas duas pernas dianteiras na tampa da tinta e caminhou pela folha até seu desenho. Sem querer mudar os detalhes da imagem, meramente traçou a linha para emoldurá-lo, depois deu um passo atrás.

– Com suas pernas? Assim? Mergulhando-as na tinta? – um sorriso enorme, cheio de deslumbramento e prazer se espalhou pelo rosto de James. – Foi você mesmo! Um inseto! Esta é a coisa mais incrível que jamais, jamais, jamais vi em toda a minha vida!

Marvin abriu um grande sorriso para ele.

– E também com meu presente de aniversário! Você não poderia ter feito isso sem o meu presente de aniversário. – Sua voz se elevou, animada, enquanto ele se aproximava, sua respiração morna quase desequilibrando Marvin.

– É como se fôssemos um time. E sabe o quê? Antes, eu nem queria muito esse presente. Eu pensei, "O que vou fazer com isso? Não sou como meu pai. Nem mesmo sei desenhar." Mas, agora, é o melhor presente que já ganhei. Esse aniversário foi o melhor que já tive!

Marvin sorriu feliz. Compreendeu que James não poderia, nem por um minuto, ver sua expressão, mas suspeitava que de alguma forma o garoto sabia.

Nesse momento, escutaram um ruído no corredor e a voz da Sra. Pompaday:

– James, o que você está fazendo aí? Com quem você está falando?

Marvin correu para se esconder, espremendo-se debaixo do cofre de porquinho de porcelana de James, no exato momento em que a Sra. Pompaday avançou pelo quarto.

■ ■ ■

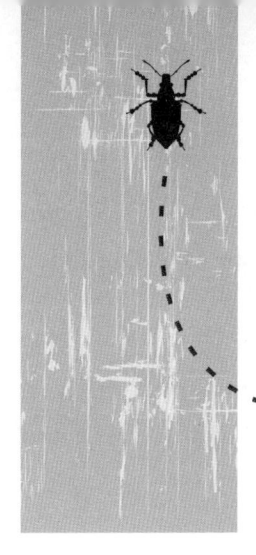

5 - É Admirável!

James deu um pulo se afastando da escrivaninha.
— Oi, mamãe — disse, nervoso — Eu...hã....estou me arrumando para ir para a igreja.

— Bem, você precisa se apressar, querido — A mãe inclinou-se para beijar a bochecha de James, balançando William no quadril. O bebê se jogou para frente, murmurando contente — Ae, Ae! Ae ae!

A Sra. Pompaday tentou contê-lo.

— Sim, William, este é JAMES. Você sabe dizer Já-Já-Já-James? — quando o bebê agarrou um pedaço de seu casaco, ela o repreendeu — Não fuxique o lindo blazer da mamãe — depois, voltou sua atenção para o filho mais velho — Não queremos nos atrasar, James. Todos desta casa são tão vagarosos de manhã! Às vezes, penso que sou a única que se importa em se arrumar e chegar no horário — Verificou o cabelo no espelho de James, arrumando-o aprovadoramente. — Com quem você estava falando?

— Ninguém – disse James – Comigo mesmo.

— Bem, tente não fazer isso. Não é normal. Ah, eu não quero ver esse tinteiro destampado! Ele pode virar. Você prometeu ser...

James apressadamente misturou as folhas na escrivaninha, tentando esconder o desenho de Marvin. Mas não foi rápido o suficiente. A Sra. Pompaday caminhou pelo quarto e levantou a folha.

— O que é isto?

James hesitou. Olhou na direção do porquinho, onde Marvin se agachou fora da vista.

— Nada. Só... só um desenho.

— Sim, isso eu sei. – A Sra. Pompaday virou a folha na mão, examinando-a – Onde você pegou isso?

Não diga a ela, Marvin pensou. *Por favor, não diga a ela.*

Ele teve um súbito entendimento da gravidade do risco que tinha tomado: fazer um desenho, mostrar-se para James, assumir o trabalho de arte. Não apenas ele, pessoalmente, estava em perigo se a Sra. Pompaday compreendesse que um besouro tinha feito o desenho, mas toda a família dele estaria ameaçada assim que ela descobrisse que havia besouros na casa... artisticamente talentosos ou não. Ela não era uma mulher com tolerância para insetos.

A Sra. Pompaday continuou a olhar para o desenho.

– Ele veio com o conjunto, como um exemplo? – perguntou. Virou-se lentamente para a janela, ainda segurando a folha. – Oh... mas... oh, meu Deus! Você desenhou isso? Ora, é... Não posso acreditar. É admirável!

De seu ponto de vista, debaixo do cofrinho de porco, Marvin observou o rosto de James. Viu tantos sentimentos percorrendo-o – preocupação, depois surpresa, depois um lampejo de alegria pura quando a mãe exclamou:

– James, eu não tinha ideia de que você sabia desenhar assim. – William se inclinou para o papel e a Sra. Pompaday levantou-o para fora do alcance dele. – Não, William, você não pode. – Segurou o desenho com o braço estendido, esmiuçando-o. – Não entendo como seu professor de arte na escola não falou comigo. Você tem um talento fantástico, querido!

Marvin viu James abrir a boca para protestar, e depois, sem forças, fechá-la. Sua mãe continuou entusiasmada.

– Isso é...bom, é de estarrecer, é isso que ele é. Esses detalhes habilidosos. Tenho que mostrar ao Bob.

Chamou repetidamente o Sr. Pompaday, que acabou aparecendo na porta, amarrando a gravata.

– Sim? Por que tanto estardalhaço?

– Bob, veja isto. Veja este desenho maravilhoso que nosso James fez.

O Sr. Pompaday examinou o desenho e resmungou – James não poderia desenhar isto. Parece um tipo de reprodução de museu, como uma daquelas gravuras antigas.

– Eu sei, eu sei – a Sra. Pompaday concordou – Foi isso que também pensei. Mas, veja, é a cena do lado de fora da janela do James! Ele o desenhou com seu conjunto novo de pena e tinteiro.

O Sr. Pompaday pegou a folha e foi até a janela. Observou a rua e olhou de volta o desenho.

– Hum... – disse. – É mesmo – olhou irritado para James – De onde você tirou esse conjunto de desenho?

– Meu pai me deu – disse James, olhando para baixo – de aniversário.

– É verdade, Karl passou por aqui ontem – a Sra. Pompaday acrescentou rapidamente – Deixou o conjunto para James. Não gostei muito do assunto, eu mesma. Um garoto de onze anos usando tinta indelével? Mas, veja o que James fez! Francamente, mal posso acreditar. Nunca imaginei que tivesse esse dom!

Marvin sobressaltou-se.

A Sra. Pompaday continuou – Bem, com o pai dele sendo artista, suspeitava que James pudesse ter algum tipo de aptidão nessa área, mas realmente...

O Sr. Pompaday franziu a testa.

– Karl! Isto é muito melhor do que aquelas porcarias que Karl pinta. Isto realmente se parece com alguma coisa.

– Eu sei. Não é maravilhoso? Mal posso esperar para mostrá-lo aos Mortons. Eles sempre estão comprando aqueles pequenos desenhos extravagantes no Sotheby´s por quantias escandalosas. Espere até que vejam o que meu próprio filho desenhou. – A Sra. Pompaday apertou o ombro de James, e William tentou pegar um punhado do cabelo dele. James sorriu, incerto, afastando a mão de William.

– Bom, hum, tenho que me arrumar para a igreja? – perguntou.

– Olha só a hora! – o Sr. Pompaday falou – Sim, James, apresse-se. Temos que sair em vinte minutos – tomou William da esposa e foi pisando forte para o corredor.

A Sra. Pompaday começou a segui-lo, o desenho na mão. Mas James tocou na manga dela.

– Mamãe, posso ficar com o desenho aqui? Junto com meu tinteiro?

45

– Ah. – A Sra. Pompaday hesitou. – Sim, claro. Eu gostaria de mostrá-lo para algumas pessoas, só isso. É realmente muito lindo – com pena, deixou-o sobre a escrivaninha – Você vai tomar cuidado, não, James? Não deixe cair nada nele. Talvez você possa fazer outro esta tarde.

James lançou um olhar constrangido para Marvin.

– Não sei, mamãe... talvez. Mas papai vai vir, lembra? E desenhar leva tempo.

– Oh, claro que leva! Não sei como você encontrou tempo ontem à noite, com a festa e tudo o mais. – Sorriu outra vez para ele. – Mal posso acreditar que você foi capaz de desenhar isto, James. E imagine: se não tivesse ganhado aquele conjunto de desenho, talvez nunca descobríssemos esse seu talento fabuloso!

Quando ela saiu e fechou a porta, algo de seu olhar aprovador fez Marvin se lembrar de sua própria mãe, que estaria frenética de preocupação em casa. Passara a noite toda fora. Seus pais não tinham ideia do que acontecera com ele. Sem perigo à vista, correu pelo tampo da escrivaninha e desceu a perna de madeira até o chão.

– Espera! – James gritou. – Aonde você vai?

Mas Marvin saiu em disparada, sentindo-se confortavelmente seguro de que esse seu novo amigo não tentaria impedi-lo.

■ ■ ■

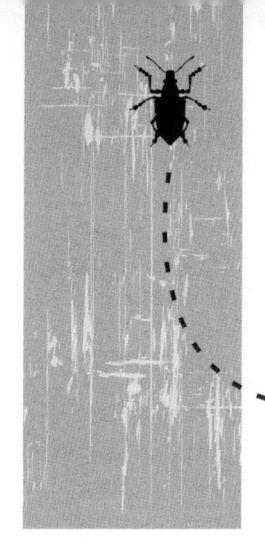

6 - Um Novo Tipo de Problema

Quando Marvin finalmente se arrastou pela parede do armário de louça e entrou na sala de estar da família, foi recebido por uma dúzia de parentes, em um ansioso atropelo. Os rostos deles iluminaram-se de alívio quando o viram. Só a prima Elaine parecia decepcionada de alguma forma.

Sua mãe se apressou até ele, envolvendo-o com suas muitas pernas.

– Marvin! Oh, querido, onde você estava? Você nos deu um susto tremendo!

– O que aconteceu, filho? – Papa pressionou. – Elaine disse que você tinha ido entregar a moeda, mas quando Albert e eu fomos procurá-lo, não o encontramos em lugar nenhum.

– Pensamos que alguma coisa terrível tivesse acontecido com você – Elaine acrescentou, com voz grave. – Puxa, podia ter sido qualquer coisa. Você podia ter prendido a perna em uma das tábuas do piso, ou a moeda poderia ter caído sobre

47

você, ou você podia ter sido esmagado por um dos pés dos Pompadays indo de noite ao banheiro...

– Chega, Elaine – disse tio Albert, severamente.

Mas a avó de Marvin não era assim tão fácil de calar.

– Marvin! Marvin! Você se esqueceu do que aconteceu com tio George? – exclamou, abraçando-o bem apertado. – A vida é assim tão barata?

Marvin suspirou. Certamente não havia se esquecido do que acontecera com tio George. Quem poderia se esquecer do tio George, cujo destino era o tema de frequentes sermões de advertência dos adultos da família? O tocador de tuba. Líder da banda da vizinhança, tio George tinha se aventurado a sair uma noite com seu tocador de baixo para reaver uma peça de macarrão seco (seu instrumento preferido) debaixo do fogão. Foram interceptados por um rato particularmente ousado e faminto. O baixista escapou, mas tio George não teve tanta sorte.

– Sinto muito – Marvin disse. – Não era minha intenção deixar alguém preocupado. Eu estava no quarto de James, em cima de sua escrivaninha. Foi por isso que você não me viu, Papa.

– Mas, querido, o que você estava fazendo lá? – Mama perguntou, ansiosa. – James não pode comer no quarto, você sabe disso. Não teria nenhuma comida ali.

– Não, eu não estava procurando comida. – Marvin hesitou, olhando para o círculo de rostos perplexos. Mesmo seu primo Billy, o rebelde que perdera uma perna surfando no descarte do lixo, nunca ficara fora a noite toda. No mundo dos besouros, isso inevitavelmente significava tragédia. Havia muitas coisas que poderiam dar errado.

– Então, o que, Marvin? – Papa perguntou. – O que você estava fazendo?

– Eu... – Marvin não sabia como explicar. O assombro do desenho parecia demasiado recente para ele, demasiado frágil para compartilhar com sua família. Respirou fundo. – Queria fazer alguma coisa para James, porque sua festa de aniversário foi tão ruim. Vocês sabem aquele conjunto de tinteiro que ele ganhou do pai? Bom, estava na escrivaninha, destampado.

– Não me diga que você caiu lá dentro! – Mama arfou.

– Não! Não, Mama.

A família esperou.

– Mergulhei minhas pernas dianteiras na tinta e fiz um desenho para ele.

A sala ficou em silêncio. Marvin olhou de sua mãe para seu pai.

– Um *desenho*? – Papa perguntou. – Que tipo de desenho?

– A vista do outro lado da janela – Marvin sussurrou,

examinando o chão. – O prédio do outro lado da rua, com a árvore e o poste de luz. Foi só um desenho bem pequeno.

– Mas, Marvin – Mama disse, com suavidade. – Você poderia ter sido pego. E agora... o desenho... bem, o que James vai pensar? É pelo menos grande o suficiente para ele ver? E se for, quem ele vai achar que desenhou uma coisa dessas? Ele é grande demais para acreditar em fadas.

Marvin fez uma pausa.

– Ele sabe que fui eu.

– QUÊ? – O grito veio em uníssono do conjunto de parentes, os rostos gelados de pavor.

Marvin, apressadamente, contou o que havia acontecido.

– Mas James não dirá a ninguém. Sei que não dirá. Ele não faria nada que pudesse me colocar em apuro.

Mama sacudiu a cabeça.

– Marvin, sei que você gosta de James – todos nós gostamos –, mas ele é um HUMANO. Não tem lealdade com a nossa espécie. Humanos não são confiáveis.

Papa virou-se para o tio Albert.

– Temos que pegar o desenho. É a única solução.

– Não, Papa, você não pode fazer isso! – exclamou Marvin – Era um presente para James. Eu fiz para ele. E o Sr. e a Sra. Pompaday agora já o viram. Acham que foi feito por James. Vocês deviam ter visto como ele ficou feliz! Você não pode de jeito nenhum tomar o desenho dele.

– Marvin – o pai disse, sério –, acho que você não está entendendo a gravidade da situação.

A avó concordou.

– Sei que você não tinha a intenção, querido menino, mas esse desenho põe todos nós em perigo.

Marvin virou-se desesperadamente para sua mãe, mas a resposta dela foi firme.

– James não pode ficar com ele, querido, especialmente agora que sabe que você é o responsável.

Houve um murmúrio de assentimento entre os parentes.

– Temos que pegá-lo.

– Vão agora, que eles estão na igreja.

– Papel é pesado. Vamos precisar de pernas extras.

Marvin olhou em torno, completamente abatido.

– Está bem – disse por fim.

Tristemente, guiou um pequeno destacamento de besouros – consistindo de seus pais, tio Albert, tio Ted e Elaine – para fora do armário de louças e pelo apartamento silencioso em direção ao quarto de James.

Quando os seis besouros finalmente chegaram à escrivaninha, o desenho estava exatamente onde James o deixara, pousado em um ângulo por cima das páginas espalhadas de jornal. Marvin sentiu seu coração pular loucamente ao vê-lo. Seus parentes pararam de chofre em sua caminhada.

– *Marvin* – disse Mama, a voz abafada.

O queixo do Papa caiu. – Filho, você *fez* isto?

Elaine rastejou, ansiosa pelo papel, cheia de elogios.

– Marvin, é lindo! As linhas são tão miúdas e certas. É exatamente como é lá fora! E você também desenhou no escuro. Queria ver um humano tentar fazer isso. Eles não veem nada de noite.

– É espantoso, meu garoto – tio Albert concordou. – Não tem outra palavra.

Tio Ted deu palmadinhas nas costas da Mama.

— Marvin é um artista! Temos um verdadeiro artista na família! Você se lembra dos murais de Jeannie, os que ela fazia com pasta de dente? Não eram páreo para isso.

Marvin brilhava de orgulho.

Mama afagou a carapaça dele.

— É um desenho maravilhoso, querido. Realmente maravilhoso... tão bonito e verdadeiro. Nem consigo imaginar como você fez isso. Não admira que James tenha ficado contente. Que presente!

Papa estudou o desenho com pesar.

– E que pena termos de levá-lo.

Nesse momento, escutaram a porta da frente ser destrancada e uma comoção no vestíbulo, interrompido pelo berro que era a marca registrada de William.

– Ah! Os Pompadays chegaram da igreja! – Mama exclamou – Rápido! Tentem levantá-lo.

Os besouros cercaram o papel, um de cada lado, dois no cumprimento, e levantaram suas carapaças por baixo das beiradas. Escutaram os passos dos tênis de James estrondando pelo corredor.

– Não dá tempo – Papa sibilou. – Não conseguiremos.

– Depressa, todos, para baixo do porquinho e para baixo na parede – ordenou Tio Ted.

– Que... vamos deixar o desenho de Marvin? – protestou Elaine. – Depois de tudo isso, não vamos levá-lo conosco?

– Elaine, rápido – ralhou Tio Albert. – James estará aqui em um segundo.

Os besouros dispararam para se esconder enquanto James entrava correndo no quarto. Juntaram-se por um momento embaixo do porquinho, depois tio Ted subiu nos lambris com ranhuras e começou a descer pela parede, abrindo o caminho.

Marvin continuou na sombra do cofre.

– Papa – sussurrou –, posso ficar um pouquinho? Quero ver o que ele fará com o desenho.

Seu pai hesitou, posicionado entre a beirada de madeira da escrivaninha e a parede.

– Não acho uma boa ideia, filho.

– Mas ele pode colocá-lo em outro lugar, e assim eu vou saber onde está.

Papa franziu a testa, considerando.

– Suponho que isso será útil. – Seus olhos seguiram a fila dos besouros se retirando, já pela metade na parede. – Está bem – decidiu. – Mas, desta vez, você precisa se manter escondido, Marvin. Está entendendo? E esperamos você em casa para o jantar.

– Oh, está certo, Papa! – James prometeu. – O jantar é só daqui a muitas, muitas horas.

■ ■ ■

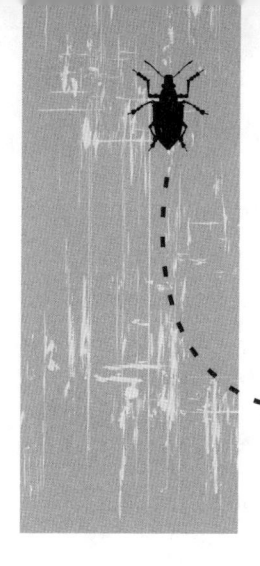

7 - Poderia Ser um Dürer

Com cuidado, Marvin rastejou para seu lugar de espionagem preferido, atrás do abajur, observando James o tempo todo. James estava debruçado sobre o desenho, estudando-o, seu rosto trespassado por um sorriso. De repente, olhou para cima. Examinou todo o tampo da escrivaninha.

– Ei, carinha – disse, baixinho.

Marvin ficou duro. Havia pensado que estava bem escondido atrás da base de cobre do abajur, mas a voz de James sugeria outra coisa. Lembrando-se do aviso de Papa, achatou-se e deslizou meio para debaixo do abajur.

James continuou falando, a voz calma.

– Carinha, é assim que vou te chamar... porque você é realmente miudinho. – Hesitou. – A menos que você seja uma garota.

QUÊ? Marvin encolheu-se, alarmado, apesar de sua determinação de não se mexer.

– Não se assuste. Não vou machucá-lo – disse James. Continuou a examinar Marvin. – Não acho que você seja uma garota. Acho que é um garoto, como eu.

Marvin estremeceu de alívio, mas continuou como estátua na beira do abajur,

— Você provavelmente nem pode entender o que falo, hein? Tudo bem. Meu pai está para chegar. Mal posso esperar para lhe mostrar seu desenho! É a coisa mais extraordinária.

Marvin observou James se debruçar sobre os cotovelos na escrivaninha, apoiando o rosto nas mãos.

— Mas todo mundo pensa que fui eu quem fiz. Esse é o único problema. E eu não sei como contar a eles.

Os sérios olhos cinzentos de James se dirigiram para o abajur e ficaram ali. Marvin se encolheu.

— Seja como for, nunca acreditarão que foi você. Portanto, qual a razão para contar?

Não importa, Marvin queria lhe dizer. *Não se incomode, especialmente porque o desenho amanhã não vai estar mais aqui. Melhor esquecer tudo isso.* Olhou pesaroso para o pequeno desenho.

Escutaram uma batida exagerada na porta, vindo do corredor, e a lacônica saudação da Sra. Pompaday. Um minuto mais tarde, Karl Terik e a Sra. Pompaday apareceram na porta do quarto.

— James! James, mostre a seu pai o seu desenho. Veja isso, Karl. Você ficará chocado, estou avisando. Veja como é minúsculo e elegante. Ah, mal posso esperar para mostrá-lo aos Mortons. E para Sandra Ortiz, da galeria.

Karl sorriu para James e caminhou até a escrivaninha, com uma expressão de paciência, como se preparando para elogiar o desenho, não importando o que realmente pensasse. Mas, quando viu o desenho de Marvin, seus olhos se arregalaram. Coçou a barba, examinando-o.

– Posso? – perguntou a James, estendendo a mão para o papel.

James ruborizou.

– Claro, papai.

Marvin aproximou-se um milímetro para observar a reação de Karl.

– James – o pai disse lentamente.

– O que eu lhe disse? – a Sra. Pompaday bateu palmas. – Não é maravilhoso?

Karl foi até a janela, erguendo o desenho para a luz.

– Como você fez isto?

James engoliu.

– Eu fui fazendo. Sabe, copiei o que estava lá fora.

Seu pai aproximou o papel do rosto, esmiuçando-o, depois estendeu-o à distância do braço.

– As linhas são tão delicadas. E firmes. Eu não pensaria que você poderia fazer uma linha assim tão fina com a pena que lhe dei.

James não disse nada.

Karl sacudiu a cabeça.

– Parece... bem, é ridículo dizer isso, mas poderia ser um Dürer.

Marvin e James olharam, ambos, para ele, sem entender. Karl ainda estava perdido em seu pensamento, inclinando o desenho em ângulos diferentes.

– É verdade. É tão bom quanto.

A Sra. Pompaday ficou radiante.

– Ah, sim! Exatamente. Um Dürer.

– O que é isso? – James perguntou. – O que é um Dürer?

– Albrecht Dürer – Karl explicou. – O artista alemão da Renascença. Pintor, gravurista, fez um monte de desenhos com pena e tinta, até algumas miniaturas como esta, há muito, muito tempo. O detalhe neste é inacreditável, James. Não consigo parar de olhá-lo.

James sorriu alegremente para seu pai. Marvin sorriu alegremente para James.

– Quanto tempo você levou para fazê-lo?

James deu uma olhada em direção ao abajur e mordeu o lábio.

– Hum, eu não sei. Não estava prestando atenção – disse. – Mas foi um bom tempo.

– Aposto que sim – disse seu pai, assobiando. Colocou a mão nas costas de James e esfregou a nuca magrela, sua voz se elevando com o entusiasmo.

– Sabe o que faremos, companheiro? Iremos ao Met[1] esta tarde. Tem uma exposição de desenhos recém-inaugurada, com trabalhos dos antigos mestres – Dürer, Bellini, Titiano,

---

1 Met – abreviatura do Metropolitan Museum of Art, museu famoso de Nova York. (N. da T.)

Michelangelo. Você tem de ver isso. Levarei seu desenho conosco.

Marvin quase veio abaixo no tampo aberto. *Não!* Quis gritar. *Não deixe, James!*

Mas Karl pegou um livro escolar de matemática na escrivaninha e cuidadosamente colocou o desenho sob a capa.

– Quero que você veja em primeira mão o quanto isto é bom – disse a James.

– Verdade? – James perguntou. – Você acha que é tão bom quanto os desenhos desses caras famosos?

– Acho! Realmente acho, James. – Seu pai desarrumou seu cabelo.

A Sra. Pompaday não pareceu contente.

– Não acho que você deveria levar este desenho a nenhum lugar – disse. – E se alguma coisa acontecer com ele? Não tive sequer a chance de mostrar para minhas amigas.

Karl riu.

– Nada vai acontecer com ele – disse, enfiando o livro de matemática firmemente debaixo do braço. – Vou protegê-lo com minha vida. Isso é mesmo uma coisa e tanto!

E agora? Marvin corria de um lado para o outro atrás da base do abajur, sem saber o que fazer. E se eles levassem mesmo o desenho para longe dali?

James e os pais estavam passando pela porta quando Marvin viu James hesitar.

– Opa, minha jaqueta – disse ao pai. Voltou para o quarto, pegando a jaqueta no armário, depois parou perto da escrivaninha, chegando perto de Marvin e escondendo-o da visão dos pais.

– Venha conosco – sussurrou – para ver os desenhos. Você não quer? – Pousou um grande dedo branco no tampo da escrivaninha perto de Marvin, seus olhos urgentes. – Vamos, tomarei conta de você. Voltaremos logo.

Marvin estava incapacitado de pensar em outra coisa que não no desenho, que agora não estava mais ali, e sim fora do quarto, em direção ao Metropolitan Museu of Art. Tremeu por um momento de tormento, e então escalou o dedo de James, quente e de carne.

– Isso, vou lhe colocar em um lugar seguro – James sussurrou. Gentilmente, depositou Marvin no bolso da jaqueta. Amedrontado, mas emocionado, Marvin se agarrou na borda do tecido de náilon, espiando de uma altura desacostumada o mundo passar veloz.

■ ■ ■

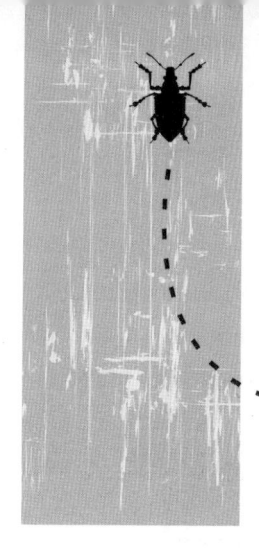

8 - O Templo da Arte

Em toda a sua vida, Marvin nunca tinha estado do lado de fora do apartamento dos Pompadays. Para ser justo, havia rastejado pelo parapeito da janela de James uma ou duas vezes. Em um dia inesperadamente quente de dezembro, a faxineira dos Pompadays abrira algumas janelas para deixar o ar suave girar pelos quartos mofados do inverno, e Marvin subiu, ansioso, no peitoril, olhando para o distante céu acima e as ruas estreitas e animadas abaixo. Apesar de todas as informações que juntara a partir dos programas da televisão dos Pompadays, o mundo do lado de fora do apartamento ainda parecia vasto e impenetrável.

Marvin não podia acreditar que estava ali, enfiado na jaqueta de James, aventurando-se pela cidade. Segurava-se no bolso de náilon, só sua cabeça se erguendo. O frio revigorante de abril penetrava em sua carapaça, e a calçada sacudia-se embaixo a uma velocidade espantosa. Pedestres se assomavam a sua frente e rapidamente seguiam. Os carros estrondavam ao passar, depois guinchavam para parar, buzinas ecoando. Tudo parecia grande demais, barulhento demais, estranho demais. Marvin sabia que devia ter besouros vivendo por ali também. Sabia que sua própria família tinha parentes no Parque Gramercy. Não podia deixar de imaginar como se viravam em um mundo que mudava tão rapidamente a cada minuto. A cidade era cheia de perigos e de vida. Marvin sentiu-se tonto com a excitação.

Enquanto seguia aos trambolhões no bolso de James, lembrou-se da história da tia Cecile, a viajante da família, famosa por sua sede de viagens. Num dia de verão, ela escondeu-se na cozinha com um saquinho usado de chá, abriu um dos cantos para meticulosamente esvaziar seu conteúdo, e depois o usou como um paraquedas para pular da janela da sala de estar, segurando firme no cordão.

Os besouros a viram flutuar corajosamente até a terra. Uma minúscula mancha flutuante, desapareceu quando chegou à calçada e nunca mais foi vista. Marvin pensou nela aqui fora em algum lugar nesse mundo gigantesco e apressado. Será que se arrependia de sua ousadia? Ou tinha sido o primeiro passo fundamental que iniciou sua vida em aventuras novas e sem precedentes?

– É isso? – James perguntou, apontando para um enorme edifício branco acinzentado que se erguia à frente deles.

– Sim, senhor, este é o Met – disse seu pai. – Você já esteve aqui antes, lembra? Embora eu o leve mais ao Museu de Arte Moderna.

Marvin viu grandes bandeiras coloridas com coisas escritas nelas, penduradas no alto da frente do prédio. Não tinha ideia do que diziam. Embora fosse fácil entender a língua humana, e mesmo chegar a entender o conceito humano do tempo, era quase impossível para os besouros decodificar sua escrita. Uma linguagem escrita era algo que os besouros não tinham como usar entre eles. Mas Marvin agora percebia o quanto podia ser útil. Porque, se soubesse como escrever na linguagem de James, imagine só todas as coisas interessantes e importantes que poderia lhe dizer!

Subiram o longo lance de degraus de pedra, dois de cada vez, com James protegendo o bolso com umas das mãos. Logo, estavam no cavernoso saguão principal do prédio. Marvin deu uma espiada em volta, as multidões de pessoas com casacos escuros de inverno, os grandes e elegantes vasos de flores, e as largas escadarias que levavam para o segundo andar.

— Por aqui — chamou Karl, conduzindo-os pela escada central com longas passadas. Dois saguões com abóbadas se estendiam de cada lado, com mostruários de vidro exibindo exemplares coloridos de tigelas e pratos de porcelanas. Uma suave luz amarela cobria o espaço aberto.

– Agora me lembro deste lugar – disse James. – Meio que parece um tipo de igreja.

Seu pai sorriu.

– Bem, ele *é* um tipo de igreja... um templo da arte.

Marvin olhou para as estátuas de mármore e pinturas com molduras douradas. Momentos mais tarde, entraram em uma grande sala, suas paredes cheias de desenhos.

– Uau! – James olhou. – Olhe tudo isso.

Seu pai pegou a mão dele e o puxou.

– Acho que os desenhos de Dürer estão na terceira sala.

Marvin estava muito distante das paredes e muito balançado em seu poleiro no bolso para ver bem, mas pôde perceber um borrão de esboços, principalmente retratos e figuras, algumas vezes uma paisagem. As cores eram abafadas: pretos, cinzas, marrons, uma fraca camada de vermelho. Assim que James parou de andar, Marvin tentou subir mais além do seu bolso para ter uma visão melhor. James ficava jogando olhares furtivos e preocupados em sua direção.

– Aqui! – finalmente seu pai disse. – Veja isso, por favor. Entende o que eu quero dizer?

Deram uma parada. A essa altura, Marvin estava com quatro patas de fora da aba do bolso e balançava-se precariamente na beirada, esperando ver melhor. Enquanto ia de um lado para outro, frustrado, o dedo de James apareceu a seu lado. Hesitou, depois subiu. James levantou a mão até o ombro, onde Marvin rapidamente desembarcou e escondeu-se debaixo da beirada da gola de James.

– Uau! – disse James outra vez.

O desenho pendurado em frente a eles era uma imagem pequena, precisa, de um pátio. As linhas eram impossivelmente finas e exatas; dos batentes das janelas às pedras na calçada, meticulosamente contornados. Os telhados tinham quinas afiadas como vidro quebrado.

Marvin olhou. Quase podia ver a mão do artista executando cada linha. Quanto mais observava, mas sentia o desenho sendo feito.

Karl olhou para os outros visitantes, que obviamente passavam por eles. Colocou o livro de matemática no chão e cuidadosamente tirou o desenho de Marvin de dentro, levantando-o e se virando para James.

– Está vendo? Sua técnica é similar à de Dürer.

James assentiu, sem fala.

Lentamente, percorreram a parede de desenhos, parando para examinar cada um. Havia outras pequenas paisagens, retratos de uma velha e de uma menina, o desenho a bico de pena de um coelho. Eram quase fotográficos nos detalhes, e ainda assim espantosamente diferentes. Os rostos pareciam de pessoas reais, pensou Marvin, com as irregularidades dos narizes e queixos, expressões cheias de sentimento. Perto do final da parede, James parou.

– Olha este, papai. É tão pequeno. O que se supõe que seja?

Marvin rastejou para fora da gola de James. O desenho era uma minúscula miniatura emoldurada de uma mulher com uma veste, ajoelhada, com os braços em volta de um animal. Um leão. As ondas de seu cabelo caíam como cascata em suas costas, e a juba do leão fluía em ondas semelhantes sobre seus ombros maciços.

Karl leu a placa.

– Aqui diz que é uma das virtudes cardeais: *Fortaleza*. Sabe o que isso significa?

— Não — disse James.

— Coragem. Força.

— Ela está tentando pegar o leão?

— Bom, parece um tipo de luta, acho. Mas olhe os detalhes. Veja as dobras do vestido dela e as garras do leão. A mão de Dürer é tão precisa. É isso que me fez pensar no seu desenho, James. — Karl apertou o ombro de James.

Eu consegui fazer isso, pensou Marvin. Estava todo concentrado.

– Karl?

Todos viraram com a voz. Saindo dos amontoados soltos de pessoas na galeria, estava um homem mais velho, com um jeito amarrotado, caminhando em direção a eles e sorrindo afetuosamente.

– Sabia que era você.

■ ■ ■

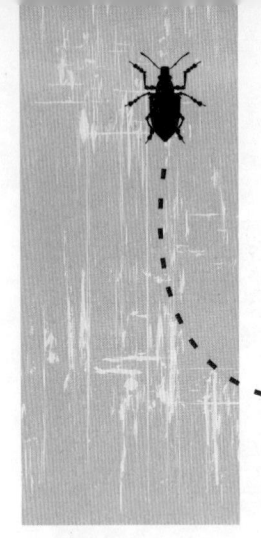

9 - A Mulher e o Leão

Denny! Ei! Como vai você? – Karl deu um largo sorriso, estendendo a mão. – James, este é Dennis MacGuffin, um velho amigo dos meus dias em Pratt. Lembra? A faculdade de arte? Denny, meu filho, James.

Denny curvou-se levemente, piscando para James.

– Não tão velho, hein, James? É um prazer conhecer você. Sempre fico encantado quando vejo jovens em uma exposição como esta.

– O que está fazendo aqui, Denny? Pensei que estivesse em algum lugar do oeste... Califórnia, não é?

Denny assentiu.

– Sim, é verdade. Estou no Getty agora. Curador de desenhos. Os Dürers e este Bellini aqui são nossos.

Fez um gesto indicando um desenho similar ao da mulher e o leão, pendurado próximo ao que estavam observando. Era do mesmo tamanho, porém Marvin achou que parecia menos delicado, o movimento da pena mais grosso.

Denny continuou.

– Temos vários itens emprestados para esta exposição, e ajudei a senhorita Balcony na organização. – Acenou para uma mulher que estava passando pela multidão e caminhando na direção deles, seu olhar voltando-se para os desenhos.

Marvin avançou um pouco, saindo debaixo da gola de James. Ela era magra e elegante, a blusa enfiada no cós da saia, o cabelo cor de mel puxado para trás em um coque bem feito. Viu que era muito bonita, mas tinha a maneira desinibida de quem estava totalmente esquecida desse fato – o que só a fazia mais bonita. Marvin gostou dela instantaneamente.

– Christina – Denny a chamou. – Venha conhecer meus amigos Karl Terik e seu filho James. Você talvez tenha escutado falar do trabalho de Karl. Ele expõe na galeria de Ernest Augers. Além de ser uma das minhas pessoas favoritas, é um excelente artista.

Christina Balcony aproximou-se deles, sorrindo.

– Terik? Não, acho que não.

— Minha série "Liberdade" esteve em Steinholm no último outono. Abstrações grandes? — Marvin achou que Karl parecia constrangido, mas esperançoso.

— Não, não lembro.

— Ou talvez você tenha visto alguns dos meus trabalhos na bienal do Whitney?

Christina balançou a cabeça.

— Mas qualquer coisa com menos de quatrocentos anos está muito além da minha área de conhecimento.

— Conhecimento ou interesse? — Karl perguntou, e Marvin ficou surpreso em perceber uma nota de irritação na voz dele.

— Bem, os dois, suponho — ela disse, rindo. — Lamento. Por favor, não tome minha ignorância como qualquer tipo de veredicto sobre seu trabalho. Estou presa ao final de 1400... Alemanha, Itália, Holanda.

Presa ao final de 1400. A época desses desenhos. Marvin nem podia imaginar o quanto isso estava distante. Impossivelmente antigo, nos termos dos besouros.

Christina apertou a mão estendida de Karl e deu um grande sorriso a James.

— Você gosta disso?

James assentiu, timidamente.

— Gostamos — disse Karl. — Muito. Especialmente dos Dürers.

— Sim, eles são lindos. Ele é nosso favorito, não é, Denny? Sempre que um desses aparece no mercado, batalhamos por ele. Atenção extraordinária ao detalhe, e um traçado sem falhas... é realmente possível ver isso aqui, comparando com o Bellini. — Voltou-se para James. — Mesma imagem, artistas diferentes. Qual você gosta mais?

James ergueu os olhos para ela.

– Aquele – quase sussurrou, apontando para o Dürer. *Eu também*, pensou Marvin. O Bellini era mais bonito a sua maneira, porém Marvin preferia as linhas nítidas e precisas de Dürer.

– Por quê? – Christina perguntou, estimulando. James mordeu os lábios, muito envergonhado para responder.

– Giovanni Bellini foi um grande artista italiano – ela disse. – Dürer o chamava de "o melhor pintor de todos eles."

– Mas ele não é nem de perto tão admirado quanto Dürer – disse Karl.

– Bom, na época ele era. Atualmente, com frequência é esquecido em favor dos grandes nomes.... Michelangelo, Leonardo, Rembrandt. – Christina examinou os dois quadros, sorrindo suavemente. – Dürer foi a Veneza aprender com Bellini, mas vejam como os desenhos são diferentes. Os melhores professores são assim. Não lhe ensinam a fazer as coisas exatamente da maneira como fazem; ensinam-lhe como ser o melhor de você mesmo.

Ela apontou para o desenho de Bellini.

– Este é suave, todo curvas e sombras. A mulher parece quase estar brincando com o leão.

Marvin entendia o que ela queria dizer. Não havia nada particularmente ameaçador na garota ou no leão, embora o desenho se chamasse *Fortaleza*.

– Agora vejam o Dürer – disse Christina. – Tenta capturar o ideal italiano de beleza de Bellini, mas não consegue. A moça de Dürer é uma camponesa alemã, uma pessoal real. Vejam seus ombros. São maciços como os do leão. No final, será uma luta, com certeza.

Denny riu.

– E aposto meu dinheiro na moça.

James concordou. Meio escondido sob a gola, Marvin também concordou.

– James gosta de desenhar – Karl interveio – Na verdade, é por isso que estamos aqui. Eu lhe dei um conjunto de pena e tinteiro em seu aniversário e, bem, veja o que ele fez. – Sorrindo, estendeu o desenho para que eles vissem – Eu ainda não acredito que tenha feito isso.

Christina deu um passo à frente. Todo seu rosto mudou. A máscara agradável de cortesia desapareceu. Ela pegou o desenho.

– Seu filho *desenhou* isto?

Denny espiou pelo ombro dela e prendeu a respiração.

Christina agachou-se perto de James, com o desenho entre eles.

– Você fez isto? Sozinho?

James assentiu, ficando vermelho.

– Você estava seguindo o traço de alguma coisa?

– Não. É só... é só uma cópia do que está do lado de fora da minha janela em casa.

Christina ergueu-se e segurou o desenho à distância de seu braço, próximo dos trabalhos na parede.

– Vejam como é similar a nossa miniatura de Dürer essa paisagem – disse a Denny. – A execução... é realmente fantástica.

– Eu sei – disse Karl. – Foi por isso que viemos aqui. Eu disse a James que isso poderia ter sido feito por um mestre da Renascença!

Christina caminhou ao longo da parede de desenhos, ainda segurando a folha de papel.

– A linha... tem a mesma meticulosidade. Eu não achava que isso fosse possível.

Marvin moveu-se milímetros à frente para escutar suas palavras mais claramente. *Ela está falando sobre o meu desenho!* pensou, deliciado. *Ela o está comparando com esses quadros famosos!*

Por fim, virou-se para eles, o rosto ruborizado.

– James – disse. – Você pode vir comigo? Quero lhe mostrar uma coisa.

■ ■ ■

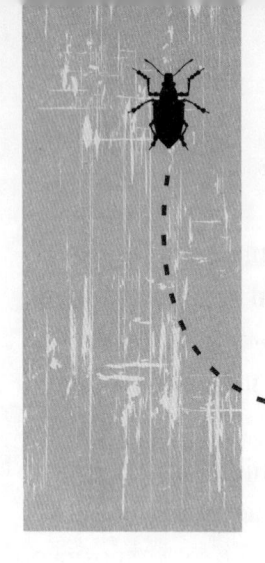

10 - A Mulher e a Espada

Rápido, Marvin voltou para baixo da gola de James, preocupado com ser visto. O rosto de Christina estava tão perto, seus olhos fixos em James.

James encostou-se mais nas pernas do pai.

– O quê? Onde? – Karl perguntou.

O olhar de Christina voltou para o desenho.

– É extraordinário. Me deu uma ideia.

Denny levantou uma sobrancelha.

– As ideias dela são perigosas – disse a Karl e James.

– Do que vocês estão falando? – Karl virava-se de um para o outro. – Estamos aqui por apenas algumas horas. Tenho que deixar James em casa às cinco.

Christina olhou em torno, na galeria, para os casais mais velhos e a visitas guiadas que murmuravam ao passar.

– Não vai demorar – disse, e Marvin achou que sua voz tinha um tom de pedido. – Eu adoraria se vocês viessem ao meu escritório. Quero que vejam uma coisa.

Karl pousou uma grande mão nas costas de James.
– Mas quase não tivemos oportunidade de ver a exposição – disse.
– Eu sei – Christina disse, desculpando-se. – Não vou monopolizar a tarde de vocês, prometo. Mas se me acompanharem, posso mostrar-lhes outros desenhos de Dürer. Você não gostaria, James?
– Acho que sim – disse James, a voz hesitante. Olhou para seu pai, e Marvin percebeu a impaciência de Karl.
– Sinto, mas realmente gostaria que ele visse a exposição. Foi por isso que viemos – pegou o desenho das mãos de Christina, que o soltou muito relutantemente. – E a mãe dele ficará chateada se não levá-lo para casa para o jantar. Talvez outro dia.

Christina enrugou os lábios.
– Não vai demorar, Sr. Terik.
– Karl.
– Karl. Vocês ainda terão tempo para ver a exposição.

Denny, que estava de pé ao lado com uma expressão preocupada, finalmente interveio.
– Karl, se você não se importar, pode ser importante. Peço-lhe esse favor.

Marvin viu que Karl e Christina olhavam um para o outro, igualmente irritados. Por fim, Karl deu de ombro.
– Ah, tudo bem. Não entendo nem a urgência nem o segredo, mas tudo bem. James?

James assentiu, e seguiram Christina pela galeria até uma porta de madeira lisa escondida em um canto.
– Aqui? – Perguntou James. – É como uma porta secreta.

Christina sorriu para ele.

– É a entrada para o Departamento de Desenhos e Gravuras. Conveniente, não é?

– Aqui está – disse Dennis, tirando um pequeno anel de chaves de seu bolso. Ele piscou para James.

– Acesso total para amigos especiais do museu. Estou tentando usá-las ao máximo antes de ter que devolvê-las outra vez.

Girou a maçaneta e segurou a porta aberta para Karl, James e Christina entrarem. Marvin olhava em volta admirado. A porta indefinida abria-se para um grande estúdio cheio de estantes. Havia portas e corredores saindo dali, todos escondidos atrás da parede da galeria.

– Há quanto tempo você vai ficar aqui, Denny? – perguntou Karl.

– Só algumas semanas. Depois, de volta ao Getty. Não vou sentir deixar este tempo frio pela minha Califórnia ensolarada, isso posso lhe dizer.

O escritório de Christina Balcony ficava no final de um comprido corredor. Era uma sala grande com janelas que davam para o Central Park, e prateleiras do chão até o teto, atulhadas de livros. – Provavelmente volumes grossos e empoeirados de história da arte, pensou Marvin. Havia algumas cadeiras danificadas de madeira em volta de uma mesa comprida. Ela indicou-lhes as cadeiras com uma das mãos enquanto buscava um grande livro de sua escrivaninha. James, seu pai, e Denny sentaram-se e esperaram. Christina equilibrava o livro canhestramente na curva do braço e folheou as páginas até uma reprodução lustrosa de um desenho a bico de pena.

Colocou-o na frente de James.

– É outro Dürer. Como o desenho da *Fortaleza*. Este é chamado *Justiça*.

Marvin, ainda tentando se proteger da vista de todos, viu que o desenho era similar ao desenho da moça com o leão: o mesmo tamanho pequeno, talvez três ou quatro polegadas quadradas, mesma cor da tinta, o mesmo impossível nível de detalhes. Mas esta imagem era de uma mulher com um vestido longo que deslizava, uma espada em uma das mãos e uma balança de prato na outra. Seu corpo estava meio virado em direção à pessoa que observava, e ela olhava tristemente para além, a balança levantada, a espada pesada a seu lado.

– Esta é a mesma moça com o leão? – James perguntou.

– Não – disse Christina. – Olhe o rosto dela. As pessoas de Dürer são sempre tão reais, cada uma diferente. Mas têm um mesmo tipo de melancolia.

– O que é melancolia? – perguntou James.
– Tristeza – Karl respondeu, olhando Christina.
– Certo. Um tipo de tristeza.
– Por quê? Por que elas estão tristes? – perguntou James.
Marvin pensou que pareciam um pouco tristes, porém era mais do que isso. Pareciam estar mergulhadas em si mesmas, tendo pensamentos privados.

Christina levantou os ombros.

– Quem sabe, na verdade? Dürer não teve uma vida feliz. Seu casamento foi difícil. Sua mulher tinha um temperamento ruim e preocupava-se sobretudo com dinheiro. Atirou-se em sua arte como uma maneira de escapar.

Marvin pensou que a esposa de Dürer parecia um pouco com a Sra. Pompaday.

– Mas acreditava na beleza – Dennis acrescentou. – Uma vez, disse, "O que é a beleza, eu não sei, embora pertença a muitas coisas." Dürer acreditava que a arte era uma maneira de encontrar a beleza na maioria dos aspectos ordinários da vida.

– Como o seu desenho, James – disse Karl, delicadamente – Pegando aquela cena comum do lado de fora de sua janela e transformando-a em uma coisa bonita.

James ruborizou, as sardas escuras nas bochechas. Mas seu rosto se encheu com um sorriso tímido.

Christina continuou a olhar para o desenho.

– Como qualquer artista, Dürer punha sua vida em todo lugar de seu trabalho. Esses desenhos foram uma resposta a sua própria tristeza e solidão.

Karl enrugou a testa.

– Essa é uma grande suposição para ser feita.

Christina ergueu uma sobrancelha.

— Suposição? Conhecemos bastante da vida dele po meio de suas cartas.

— Não duvido disso, mas você está supondo que seus desenhos eram sobre sua própria vida. A tristeza que você vê pode ser uma escolha deliberada para esse desenho... alguma coisa que Dürer queria dizer sobre a justiça.

Marvin olhou de um para o outro. O que estavam discutindo agora? O calmo pai de James de repente pareceu aborrecido.

Christina rejeitou o comentário, virando-se para James.

— Seja qual for a razão, sempre há essa qualidade intensa, solitária, na arte de Dürer. Você percebe isso?

Marvin queria olhar o desenho mais de perto. Havia alguma coisa poderosa no quadro, mas também alguma coisa que se continha. *Justiça*.

— Este quadro não estava com os outros – disse James.

— Não... Não, não estava. – Christina trocou um olhar com Denny.

Karl olhou para seu relógio.
– É isso, então? Isso é tudo que você queria nos mostrar?
A testa de Christina franziu.
– O que eu queria mostrar a *James*, sim.
Marvin olhou para eles, perplexo. Nunca vira Karl mostrar tal antipatia a alguém, e parecia totalmente recíproco.
Christina se agachou ao lado da mesa, seu lindo rosto ao nível do de James.
– James, você alguma vez tentou copiar alguma coisa? Da mesma maneira como copiou a cena do lado de fora da sua janela? Mas não uma cena, um desenho.
– Você quer dizer, como fazer uma cópia dele? – James perguntou.
Christina balançou a cabeça.
– Não, não uma cópia. Mas desenhar a própria imagem, apenas estudando as linhas do artista.
– Não – James disse. – Bom, quer dizer, às vezes... com quadrinhos. – Sua voz foi sumindo.
– Você acha que poderia tentar com um desenho de Dürer?
James parecia confuso.
– Com este?
– Não – Christina disse, rapidamente. – Não com este. O do museu de Denny, que está pendurado na galeria, *Fortaleza*...
– Do que você está falando? – Karl interrompeu. – Qual seria o sentido disso? – virou-se de Christina para Denny.
O próprio Denny pareceu inseguro.
– Você quer que ele copie *Fortaleza*? Por quê?
– Não sei – Christina disse, suavemente. – Provavelmente, não dará certo. Só pensei que poderíamos ver se ele conseguia uma boa semelhança.

– O quê... agora? Aqui? – Karl sacudiu a cabeça. – Eu lhe disse, nós viemos só ver a exposição. Não temos tempo para James começar a desenhar coisas.

James tinha uma olhar de pânico no rosto, e Marvin sentiu que ele estava tremendo.

– Todas as minhas coisas de desenhar estão em casa – ele disse.

Christina ergueu-se, pousando sua mão delicada na beirada da mesa.

– Está bem. Se você preferir levar uma cópia para casa com você, tudo bem.

Ela passou uma página do livro.

– Veja, aqui está ela, logo depois do desenho *Justiça*. Você poderia levar o livro todo. Eu só... se você não se importar, James, eu adoraria ver se você consegue fazer isso.

Hesitou, ainda olhando para James.

– Ninguém olhou tão intimamente para o mundo como Dürer. Ninguém se preocupou tanto em capturar seus menores detalhes. Seu desenho, James, tem a mesma sensibilidade.

Marvin sentiu seu coração inflar-se.

Karl sacudiu a cabeça.

– Dürer não se compara a Leonardo ou Michelangelo.

Christina virou a cabeça, pensando.

– Não, não na força emocional dos desenhos. Ele não tinha a originalidade e a visão deles. É um artista mais silencioso. Mas em pura paciência... – hesitou.

– Sim – Denny ecoou firmemente. – Em sua fé que a beleza se revela, camada após camada, nos menores momentos... bem, não há ninguém como ele.

– "Na verdade, a beleza... na beleza, a verdade", Christina

estendeu a mão até o livro e gentilmente virou as páginas outra vez para o desenho *Justiça*.

Denny bateu no ombro de James.

– Então, o que você diz, James? Não estou completamente certo do que nossa misteriosa Srta. Balcony está planejando, mas você não quer fazer uma tentativa?

Marvin não conseguia tirar os olhos do desenho: mulher forte e solitária, com sua espada ao lado e a balança de bronze oscilando em uma das mãos. Queria desenhar assim. Queria estar dentro da cabeça de Albrecht Dürer, acrescentando cada detalhe particular, aproximando-se mais e mais da verdade.

Sabia o que seus pais diriam. Sabia o que toda a sua família diria. É perigoso, é até ridículo.

Porém, mais do que tudo, queria que James dissesse sim.

– Eu não sei – disse James. – Não sei se consigo.

– Você fará uma tentativa? – O olhar de Christina era firme – Por favor?

James levantou os olhos para ela, mordendo os lábios.

– Está bem – por fim, disse.

– Oh, James! Obrigada! – curvou-se rapidamente e o abraçou. Por apenas um momento, seu brilhante cabelo dourado afundou perto de Marvin, e pôde sentir o perfume limpo e cálido da pele dela.

Então, ela engoliu em seco:

– OH, MEU DEUS! UM INSETO!

■ ■ ■

11 - Deixado para Trás

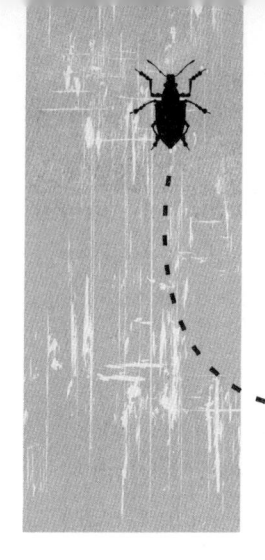

Marvin tentou desaparecer da vista, mas antes que pudesse sequer registrar o que estava acontecendo, sentiu um golpe tão eficiente que arremessou todo seu corpo pelo espaço. Ficou de cabeça para baixo, virando-se em pleno ar, o salão uma mancha a seu redor. Bateu em alguma coisa dura – uma parede? uma estante? quem saberia? – e se esborrachou no chão, onde ficou deitado de costas, pernas sacudindo no ar.

– Onde ele está? – gritou James.

– Tudo bem, eu o joguei para longe – disse Christina, tranquilizando-o. – Mas foi uma coisa muito estranha. Estava bem no seu pescoço, sob sua gola. E justo no inverno. Eca!

– Mas para onde ele foi?

De sua posição invertida, Marvin não podia ver nada. Pedalou as pernas freneticamente, tentando virar para o lado certo.

– Não tenho ideia – disse Christina. – Em algum lugar do chão. Provavelmente, está morto.

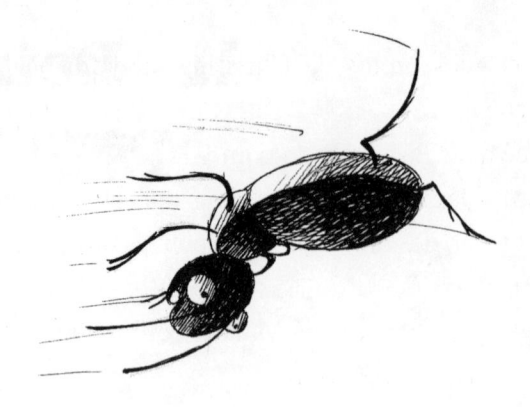

– O QUÊ? – Marvin escutou os tênis de James na madeira ali perto.

– Calma, companheiro – disse Karl. – É só um inseto.

Marvin estava com medo de ser visto, com medo de ser pisado. Não há nada mais vulnerável no mundo do que um besouro virado de costas. Contorceu-se e girou, tentando desesperadamente virar-se. Era muito melhor nisso do que Elaine, disse a si mesmo, convocando sua última parcela de esforço. *Fortaleza,* pensou assustado.

Com um arremesso poderoso, conseguiu se virar. Aterrissou de barriga para baixo e correu pela madeira do piso... para debaixo da mesa, fora da vista. Ufa!

Das sombras, Marvin podia ver quatro pares de sapato. James estava tremendo de nervoso.

Karl atravessou o salão em direção à porta.

– Vamos, James. Mal temos tempo para ver o resto da exposição.

James ficou onde estava.

– Mas...

– Vamos, companheiro.

Os escarpins pretos de Christina bateram no chão até os tênis de James.

– Você quer levar o livro com você.

– Não! – James explodiu, depois acrescentou rapidamente. – Quero fazer o desenho aqui. Está bem assim, papai? Podemos voltar amanhã?

Ele não quer me deixar, Marvin compreendeu agradecido. *Está dando um jeito de voltar.*

– Amanhã? O museu fica fechado na segunda.

– Sim, as salas da exposição, sim – disse Christina –, mas não os escritórios. Na verdade, isso seria perfeito. Você poderia vir depois da escola, se quiser, James. E eu posso deixá-lo ficar no meu escritório.

– Agora, espere um minuto – protestou Karl. – Não tenho ideia dos planos de sua mãe...

– Ora, é claro que é preciso verificar se ele não tem outro compromisso – disse Christina, gentilmente.

– Não tenho outro compromisso – disse James. Agachou-se e Marvin pôde ver seu rosto pálido e sério examinando o chão. *Aqui*, Marvin quis gritar, não que fosse dar certo. Tentou calcular se tinha tempo suficiente para correr pelo piso e subir nos tênis de James sem ser visto.

– Depende de sua mãe – disse Karl. – Mas ela provavelmente não vai dizer sim se você se atrasar hoje.

James suspirou.

– Está bem, está bem. Eu voltarei amanhã – disse, com a voz um tanto alta.

Marvin viu os escarpins pretos virarem.

– Por aqui, James – disse Christina. – Tome meu cartão.

Telefone para me dizer quando voltará. – Sua voz abaixou, e Marvin soube que ela estava se inclinando para falar só com James. – Estou tão animada. Vou lhe contar mais sobre os desenhos amanhã.

– Sobre este? – perguntou James. – *Justiça*?

– Sim, e os outros.

Marvin viu os sapatos de Denny caminharem até a porta.

– Mal posso esperar para ouvir – disse ele. – Talvez assim saibamos o que você está planejando.

– James – Karl chamou, impaciente.

– Já vou, papai – respondeu James. Marvin observou os tênis virando e seguirem relutantemente atrás dos mocassins desgastados de Karl. Todos os quatro pares de sapatos se afastaram pelo saguão, a luz apagou, e a porta se fechou com um ruído surdo.

Marvin ficou parado no escuro. Escutou os passos ecoarem pelo corredor até a sala ficar em silêncio.

Seus pais ficariam loucos de preocupação, sem saber onde estava. Mas o que poderia fazer agora? James voltaria amanhã, Marvin tinha certeza disso. Havia uma ligação entre eles, mais do que apenas o desenho. Sabia que James também sentia isso. Embora tenham oficialmente se conhecido naquela manhã, parecia que os dois já se conheciam há muito tempo. Houve um estalo misterioso de entendimento. Marvin nunca havia sentido isso com outra pessoa antes.

Rastejou saindo debaixo da mesa e subiu por uma de suas maciças pernas de madeira. O livro estava aberto a sua frente, cheirando vagamente a mofo, um odor bolorento reconfortante que fez Marvin pensar nas paredes de casa, umedecidas de água. Rastejou por suas páginas acetinadas e parou na beirada do desenho da *Justiça*. Ali, acomodou-se para passar a noite, memorizando cada linha.

■ ■ ■

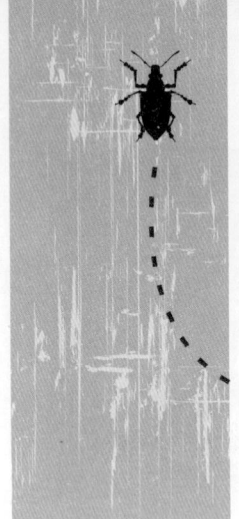

12 - No Escritório de Christina

Assim que o raio de sol da manhã inclinou-se pelas grandes janelas, Marvin escutou um tropel no corredor. Momentos mais tarde, um zelador de ombros caídos, usando um avental marrom, empurrou a porta. Puxava uma grande lata de lixo e um balde com suprimentos de limpeza. Marvin se achatou, mergulhando no buraco entre as páginas encadernadas e a capa pesada do livro. De lá, observou o zelador passar sua vassoura preguiçosamente pelo chão, empurrando uma pequena pilha de pó e sujeira para dentro do lixo, depois passando um pano pelo topo da mesa, sem muita convicção. Não se incomodou em mexer com o livro, portanto Marvin estava salvo.

Depois que o escritório ficou outra vez vazio, Marvin começou a explorá-lo. Rastejou pela perna da mesa até o piso e depois até a parede, subindo rapidamente no peitoril. A vista do parque era um panorama de deixar tonto. Marvin via feixes de plumagem cinza das árvores e trilhas finas de asfalto atravessando a grama do inverno. À distância, pessoas embrulhadas em casacos escuros se apressavam para sua manhã de negócios, manchas insignificantes. *Deve ser assim que os besouros parecem para os humanos*, Marvin pensou.

Rastejou pelo peitoril até a escrivaninha de Christina, cuja superfície estava quase nua, exceto por duas pilhas arrumadas de papel, um conjunto de canetas e lápis, um relógio, e uma fotografia com moldura prateada. A foto era de Christina sentada em um sofá, com as pernas dobradas, e duas meninas perto dela. Ou, na verdade, em cima dela, Marvin pensou. Uma se inclinava para seu colo, sorrindo para ela; a outra estava apoiada em seus ombros, uma das mãos envolvendo possessivamente seus cabelos. A própria Christina parecia desarrumada e amarrotada, muito diferente da aparência que tinha ontem. Mas seu rosto brilhava. As meninas tinham seus traços delicados e o mesmo cabelo louro, só um pouco mais leve. Deviam ser suas filhas, Marvin concluiu.

Pelo resto da manhã, perambulou pelo escritório. Subiu nas prateleiras e examinou as fileiras duras de livros. Pendurou-se no cordão da persiana da janela e se divertiu se arremessando da parede e balançando para frente e para trás, enquanto a sala girava abaixo dele. Era o mais perto que podia chegar de voar, uma habilidade compartilhada por muitos outros tipos de besouros – joaninhas, brocas –, que Marvin e sua família com frequência invejavam.

No começo da tarde, ficou contente de achar uma tachinha debaixo da escrivaninha. Se estivesse em casa, prontamente a arrastaria até sua coleção, ansioso para mostrá-la a Elaine. Em vez disso, empurrou-a pelo chão e a escondeu atrás de uma das pernas de madeira, sentindo-se um pouco mais seguro sabendo que uma arma estava acessível, caso precisasse dela.

Depois de um tempo, Marvin ficou faminto. Pensou com saudade no desjejum substancial que Mama e Papa estariam degustando nesse exato momento, graças aos Pompadays. Pãozinho com queijo cremoso? Panqueca com melado? O banquete embaixo do cadeirão de William oferecia uma variedade interminável, agora que o bebê estava grande o suficiente para experimentar comidas diferentes, mas ainda novo o bastante para se deliciar jogando punhados no chão.

Marvin rastejou até a cesta de lixo perto do fichário na esperança de encontrar alguma guloseima extraviada. O zelador havia esvaziado a cesta, mas, por sorte, sua descuidada passada de vassoura havia espalhado várias migalhas sob a escrivaninha. No começo, Marvin pensou que eram apenas migalhas de pão – mofadas, suspeitou –, restos de um sanduíche comido dias atrás. Mas para seu completo prazer, descobriu pedaços miúdos de uma torta de morango com chantilly.

Enquanto devorava a massa doce, Marvin sentiu-se consideravelmente menos incomodado pelo dia passado sozinho no escritório de Christina. De barriga cheia, voltou ao topo da mesa para olhar outra vez o desenho. As linhas eram delicadas, mas firmes. E como a Justiça era admirável, com seu rosto triste e sua espada pesada. Gostaria mais de desenhar este quadro do que aquele com o leão. Mal conseguia esperar até James trazer a tinta.

Por fim, horas mais tarde, Marvin escutou chaves no cadeado. Escondeu-se outra vez entre a costura do livro, justo antes de Christina entrar na sala, seguida por James e depois por Karl, que parou na soleira da porta. Christina estava vestida impecavelmente, como no dia anterior, com uma blusa de seda clara e calças cor azul marinho, com o cabelo puxado suavemente para fora do rosto e preso com uma fivela de concha de tartaruga. James, de olhos arregalados e nervosos, lançou olhares rápidos para todas as direções, examinando o chão, as paredes, a mesa. *Ele está me procurando*, Marvin pensou, feliz.

– Estou tão agradecida por você ter podido vir, James – Christina estava dizendo, pousando a mão no ombro dele. – Sei que deve ser difícil em um dia de aula. –Virou-se para Karl – E também a você, Sr. Terik. Compreendo que isso é uma inconveniência para você.

– Bem – disse Karl –, James queria vir, então... – deu de ombros e encostou-se desajeitado contra a armação da porta.

Christina olhou para James outra vez.

– Você acha que pode trabalhar aqui na mesa? Se eu limpar um lugar para você? – empurrou as pilhas de papel para o lado, deixando um largo espaço de tampo envernizado da mesa, com o grande exemplar dos desenhos de Dürer no centro.

– Vamos achar *Fortaleza* – disse, passando as páginas.

Marvin se encolheu e se enfiou mais fundo entre as costuras das páginas que passavam por cima dele. – Vejo que você trouxe seu conjunto de desenho. Precisa de papel? Alguma outra coisa?

James olhou para o chão.

– Só papel. Mas... eu... – parou.

Christina se aproximou dele.

– O que é?

Marvin escutou James esfregar um tênis no outro.

– Eu... eu não sei se consigo – disse com voz baixa. – Não sei se consigo desenhar aqui.

Christina assentiu.

– Entendo completamente. O processo artístico é tão... tão *específico* para cada pessoa. Para os grandes mestres também era. – Sorriu, encorajadora.

Karl estava observando James.

– É pressão demais para uma criança – disse, baixinho.

Christina fez uma pausa.

– Não foi essa minha intenção. Realmente, James, não se preocupe se não funcionar. Tenho certeza de que muitas vezes também não funcionou para Dürer.

Marvin viu Karl franzir o cenho, e Christina estendeu sua mão rapidamente, descansando-a no braço dele. Afastou-se, surpreso, mas ela persistiu.

– Sr. Terik – disse –, sinto o mesmo que você e de alguma maneira fui eu quem comecei mal. Posso lhe oferecer uma xícara de café? Por favor? Para compensar seu trabalho de vir até aqui outra vez? E daremos um pouco de paz para James enquanto trabalha.

Ela sorriu para Karl, cujo rosto suavizou um pouco.

– Está bem – disse relutante. – Quanto tempo você precisa, James? Uma hora? Uma hora e meia?

James continuava a procurar pela sala, mordendo o lábio.

– Éee. Vou demorar um pouco.

– Aqui está o papel – disse Christina, colocando um pacote pesado de papel de desenho sobre a mesa. – E aqui está *Fortaleza*. – Passou os dedos sobre a moça lutando com o leão. – É só uma tentativa, está bem, James?

– Está bem – disse James, as bochechas vermelhas.

Saíram, e assim que a porta foi trancada, James se pôs de joelhos, desaparecendo da vista de Marvin. Marvin escutava-o sussurrar enquanto engatinhava pelo chão.

– Onde está você? Onde está VOCÊ? Oh, por favor, por favor, esteja bem!

Marvin rastejou para fora da costura do livro e apressou-se até a beirada da mesa. James continuava a se agitar pelo piso, olhando debaixo da escrivaninha, espiando pelas ranhuras sujas de poeira do radiador. Marvin esperou, até que ele desanimadamente se levantou e começou a olhar pela sala, e então correu pela beirada da mesa, esperando que o lampejo do movimento atraísse a atenção do garoto.

– Ei! – James gritou. – EI! Aqui está você!

Desmoronou em uma cadeira e pôs o queixo na mesa, pertinho de Marvin, o rosto recortado por um enorme sorriso. Estendeu seu dedo. Marvin prontamente rastejou e subiu por ele, e se segurou firme enquanto James o levantava.

Nunca tinha visto James tão feliz e aliviado. *É porque James estava preocupado comigo*, compreendeu. *É porque somos amigos.*

■ ■ ■

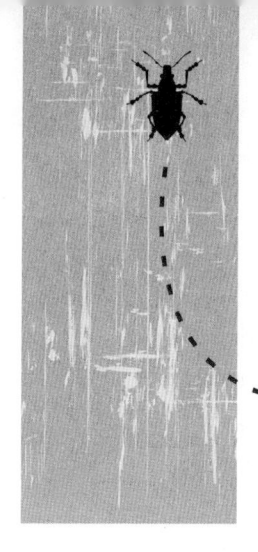

13 - Copiar uma Cópia

— Estou tão contente por nada ter lhe acontecido, carinha — disse James ao colocar o papel na frente de Marvin e sacudir o tinteiro. — Quer dizer, fiquei pensando, "E se alguém pisou em cima dele?" Ou, "E se o faxineiro veio e o varreu para o lixo?"

Marvin pensou que isso parecia algo que Elaine diria.

Mas James continuou, alegre.

— Espero que você consiga fazer isso! Quer dizer, ela está contando completamente com você. Sabe o que parece? Parece um conto de fadas, aquele com a menina e a palha. Como se chamava? *Rumpelstiltskin*? Lembra? Quando prendem a menina na torre do castelo e ela tem que fiar a palha e transformá-la em ouro ou então eles vão cortar sua cabeça?

Marvin estremeceu. Não admira que as crianças humanas achem divertido puxar as pernas dos besouros, escutando histórias como essa. Rastejou até o papel de desenho.

— E então, o pequeno duende, ou algo assim, chega e a

ajuda, e ninguém fica sabendo – termina James. – Como você está me ajudando. Exceto que acontece que o duende é um tipo mau, e eu tenho certeza que você não é. Você é mesmo legal de verdade – deu um suspiro profundo.

– Bem, tudo pronto? Aqui está sua tinta – desatarraxou a tampa, colocando-a perto de Marvin. – E o que eu vou fazer é colocar o livro assim – levantou o enorme volume, apoiando-o aberto sobre outros livros da mesa – para que você possa ver o desenho enquanto trabalha, sabe? Do contrário, será muito difícil; você teria que ir e voltar enquanto estivesse desenhando. Desse jeito, é como se você estivesse olhando pela janela do meu quarto. Você acha que vai dar conta?

Bom, essa era a questão, não era? Marvin fixou os olhos no desenho. James tinha razão, não era tão diferente de olhar pela janela do quarto para a rua da cidade. Tudo estava lá, em proporção; tudo que ele tinha a fazer era transferi-lo para a página.

Mas era o desenho de um artista brilhante, feito centenas de anos atrás! Como poderia copiar algo assim sem estragar tudo?

Não adiantava pensar dessa maneira, Marvin decidiu... assim como não ajudava pensar na água escura no esgoto, ou o que poderia estar flutuando lá dentro quando você estava prestes a mergulhar. Sua única esperança era parar de pensar e fazer.

Deu um respiro fundo, mergulhou sua perna dianteira na tinta e começou a trabalhar.

A extensão branca do papel era esmagadora, mas Marvin focou na área do tamanho do desenho, fazendo os cantos de um quadrado imaginário de três polegadas por três com pontos microscópicos de tinta. Então, começou o desenho. Concentrou-se em fazer suas pinceladas tão nítidas e firmes quanto as de Dürer, sem sacrificar a delicadeza da linha. Começou com o cabelo cacheado e bem arrumado da moça. Depois, moveu para a curva do seu rosto.

 James sentou-se à mesa com os braços cruzados a sua frente, o queixo pousado neles. Ficou sobretudo em silêncio, mas às vezes murmurava estímulos: – Ei, bom trabalho – ou – Essa parte é complicada... Você consegue. – Marvin quase esqueceu que James estava lá, tão focado estava em seu desenho. A moça tomou forma, seus membros vigorosos, musculosos, salientando-se sob o tecido de sua roupa. De alguma forma, o leão foi mais fácil, seu corpo seguro, firme no círculo dos braços humanos. Cuidadosamente, Marvin acrescentou o sombreado em seu flanco, depois o floreado de seu rabo curvo.

– Ficou o *máximo* – disse James com uma voz baixa, sem fôlego, como se temesse quebrar o encanto.

Marvin percebeu que se copiasse as partes individuais do desenho muito mecanicamente, suas linhas pareceriam mais duras do que as de Dürer. Então, tentou capturar o fluxo de toda a imagem. A parte mais difícil era fazer as linhas fluidas e seguras, como se estivesse desenhando algo novo, completamente dele, pela primeira vez.

– Ei – disse James, de repente, olhando para o relógio da escrivaninha de Christina. – Já são quase cinco e meia. Logo eles estarão de volta. Dá pra você terminar?

Marvin trabalhou mais rápido, deslizando para o estranho transe que sentiu quando primeiro começou a esboçar a cena do lado de fora da janela de James. Era uma maneira de se acomodar profundamente dentro de si mesmo, distante do mundo de fora. Não tinha consciência de mais nada a não ser o papel a sua frente, as linhas de tinta florescendo em um quadro.

Por fim, o desenho ficou completo.

Marvin deu um passo atrás, mantendo no alto suas pernas dianteiras manchadas de tinta.

James balançou lentamente a cabeça, mal conseguindo respirar.

– Parece exatamente igual!

Marvin olhou. Estava tudo lá: a moça agachada e seu leão, cada detalhe fielmente reproduzido na página. Mas era tão bom quanto o de Dürer? Marvin estava muito menos seguro disso do que estivera em relação a seu desenho da janela.

James, no entanto, parecia perfeitamente confiante.

– Eles não vão acreditar – disse, com um grande sorriso.

Minutos mais tarde, Karl, Christina e Denny atravessaram a porta. James já havia colocado Marvin no bolso de sua jaqueta para evitar uma repetição do susto de ontem. Marvin se agarrou na borda do bolso, observando ansiosamente a reação de Christina.

– Oh! – exclamou. – Oh, James!

Denny riu alto.

Marvin não sabia se isso era bom ou ruim. Será que eles tinham gostado?

– Poxa! – disse Karl, aproximando-se da mesa.

James deu um passo atrás, mexendo com o zíper de sua jaqueta. Marvin ergueu os olhos e viu o mesmo rubor rosado subir pelas bochechas dele.

– James, isto é *excelente*! – disse Christina, levantando o papel. – Não posso acreditar! Tenho de confessar, pensei que valia a pena tentar, mas... Denny, olha! Você imaginava que ele fosse capaz de fazer isso tão bem? – virou-se, excitada, para Karl. – Você imaginava?

Para sua surpresa, Marvin viu que a dinâmica entre os dois havia mudado completamente, a irritação mal-humorada desaparecera. Karl sorriu para ela, o rosto dele espelhando o entusiasmo dela.

– Não! Pensei que conseguisse traçar bem uma linha, mas copiar uma coisa requer uma habilidade completamente diferente. As proporções são realmente boas aqui, James... a maneira como você as colocou no espaço. Hmmm. No entanto, acho que o efeito geral no Dürer não é tão apinhado. Você concorda? – Karl disse isso para Christina, que examinou mais de perto a imagem do livro.

Marvin percebeu o que ele queria dizer. No original, apesar de seu tamanho em miniatura, a moça e o leão formavam um triângulo largo no espaço.

-Verdade – disse Denny. – Mas é um trabalho muito bom. O comando técnico é extraordinário.

Christina assentiu.

– E esta é a primeira tentativa dele. *Além disso*, é de uma reprodução em um livro de arte, não de um desenho original – fez uma pausa, sacudindo a cabeça. – Tenho quase receio de dizer, mas isso me deu esperanças.

Marvin levantou os olhos para James, que claramente compartilhava de sua perplexidade. Do que ela estava falando?

– Esperança de quê? – perguntou Karl.

– Sim, Christina, fale – Denny acrescentou. – Seus planos

permaneceram um mistério por tempo demais. Por que uma cópia da *Fortaleza*? Ainda sofrendo porque eu a vendi no leilão?

Christina riu para ele.

– Não, não, já superei isso há muito tempo.

– Por que, então? – Denny persistiu. – Por que você precisa de uma cópia da *Fortaleza*?

Os olhos de Christina brilhavam.

– Porque – disse lentamente, sua voz mal contendo o entusiasmo – ele está prestes a ser roubado.

■ ■ ■

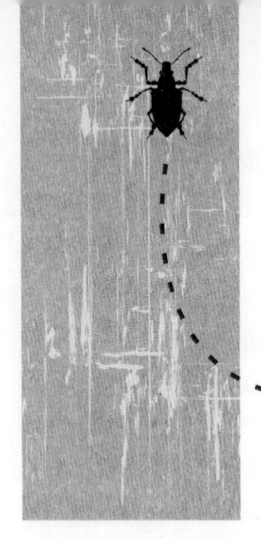

14 - Roubando as Virtudes

O quê? – exclamou Denny e Karl simultaneamente. Marvin esticou sua cabeça um pouco mais para fora do bolso, quase caindo no chão.

Christina sorriu.

– Não o desenho real! Não se preocupem. A cópia de James.

– Não entendo, disse Karl.

Denny franziu a testa, alisando o cabelo para trás com uma das mãos.

– Nem eu. E já que o verdadeiro pertence ao Getty, acho melhor escutar os detalhes disso. Talvez devêssemos sentar.

Christina puxou uma cadeira e se afundou nela, colocando o desenho a sua frente, suas mãos delgadas ladeando-o sobre a mesa. Denny e Karl sentaram-se ao lado dela, mas James permaneceu de pé. *Para que eu possa ver*, Marvin pensou agradecido.

– Bem – começou Christina – Denny conhece os bastidores

de tudo isso, mas duvido que vocês dois conheçam. – Virou-se para Karl. – Você sabe alguma coisa sobre roubos de arte?

– Claro – disse Karl. – Os famosos. A *Mona Lisa*. O Museu Gardner em Boston.

– O quê? – perguntou James. – O que são esses?

Christina tirou os óculos e colocou-os sobre a mesa, olhando para o desenho.

– Os roubos de arte mais famosos de todos os tempos. A *Mona Lisa* foi levada em 1911. Um operário italiano tirou-a do Louvre, planejando levá-la de volta para a Itália. Ficou desaparecida por dois anos, mas a conseguiram de volta – esfregou a testa. – O Museu Isabella Stuart Gardner não teve tanta sorte. O maior roubo de arte da história. – Em 1990, dois homens vestidos como policias chegaram de manhã cedo, dizendo que estavam atendendo a um chamado. Algemaram os seguranças e roubaram três Rembrandts, um Vermeer, um Monet e cinco quadros de Degas, entre outros. O lote completo valia quase 400 milhões de dólares. Nunca foram encontrados.

– Uau! – disse James. Marvin pensou em todas aquelas pinturas, desaparecidas.

James olhou para Christina.

– Mas por que as pessoas roubam os quadros? O que fazem com eles?

Christina suspirou.

– Em geral, é por dinheiro – disse. – Mas evidentemente as pinturas, com frequência, são tão conhecidas que não podem ser vendidas abertamente, em leilões.

Denny assentiu, coçando a testa.

– O mercado de arte roubada é difícil. Ladrões não podem vender para museus nem negociantes de prestígio. Qualquer colecionador particular que compra uma pintura roubada não pode exibi-la publicamente. Tem de querê-la por si própria – só pela arte – e resignar-se a desfrutá-la privadamente.

Christina concordou.

– Então, tende a ser um negócio do mercado-negro... Criminosos negociam os quadros por outras coisas proibidas, como drogas ou armas.

– Verdade? – James arregalou os olhos. Marvin teve de admitir, era difícil imaginar alguém surrupiando alguma daquelas maravilhosas e delicadas obras de arte de mais de séculos por uma carga secreta de armas.

– Bem, esse é um tipo de roubo – Dennis interveio. – O roubo de arte não é como os outros crimes. Às vezes, não é por nenhum dinheiro. Às vezes, é realmente por amor.

– Verdade – Christina assentiu. – Pode ter um sentimento genuíno por trás. No caso da M*ona Lisa*, o ladrão só queria que o quadro voltasse a sua terra natal.

— Mas por que ele se importaria com isso? — perguntou James.

Karl passou a mão em seu cabelo.

— É a obra mais famosa de Leonardo da Vinci. Muitos italianos a consideram um tesouro nacional. Não gostam nada que o quadro esteja em um museu francês.

— Os quadros dele são alvos comuns para os ladrões — disse Christina. — A *Virgem do Fuso* foi roubada de um castelo escocês, vários anos atrás, por dois homens que se passavam por turistas. Dominaram um guia e o tiraram direto da parede.

— Esse também valia muito dinheiro? — James perguntou.

— Ah, sim. É uma obra de arte. Cinquenta milhões? Cem milhões? Nunca foi recuperado.

James deu um grande suspiro e Marvin não tinha certeza se era pelo dinheiro perdido ou pelo quadro perdido.

— Algumas vezes conseguem recuperar? Os quadros, quero dizer — perguntou a Christina.

— É raro, mas acontece. Você não pode imaginar como é excitante isso. — Apertou o ombro de James. — Quando o quadro *O Grito*, de Edward Munch, foi encontrado, o museu abriu suas portas à noite e serviu champanhe. Todos do mundo das artes ficaram radiantes. E então houve aquele estranho roubo em Manchester, certo, Denny? — Christina virou-se para Denny para confirmação. — Na Inglaterra, alguns anos atrás, um punhado de telas de Van Gogh, Picasso e Gauguin foram encontradas enroladas em um tubo de papelão, enfiado atrás de um vaso sanitário público, um pouco mais abaixo na rua da galeria de onde foram roubadas dois dias antes.

— O ladrão foi pego? — perguntou Karl.

Denny balançou a cabeça.

– Não que me lembre. E nesse caso, deixou uma nota elegante, cumprimentando a galeria pela segurança! – Sorriu. – Como disse, esse não é um crime típico e as pessoas envolvidas não são os criminosos típicos.

– Bem – protestou Christina. – Às vezes são. O Museu Nacional de Estocolmo? Três homens armados invadiram e roubaram um autorretrato de Rembrandt e dois Renoirs.

– Sim, é verdade – confirmou Denny. – Escaparam em uma lancha veloz. Esses quadros foram recuperados por um policial dinamarquês que se disfarçou de negociante de arte.

– Verdade? – disse Karl. – Recuperaram todos?

– Sim – respondeu Christina, perdida em pensamentos. – Todos eles.

A sala caiu no silêncio. A cabeça de Marvin estava girando. Era difícil imaginar os museus empoeirados e tranquilos como cenários para crimes tão bombásticos. Também era difícil imaginar que um desenho ou uma pintura poderiam valer tantos milhões de dólares.

– Mas o que tudo isso tem a ver com o desenho de Dürer? – Karl perguntou por fim.

– Existem quatro desenhos, na verdade – disse Christina – das quatro virtudes cardeais. *Fortaleza, Justiça, Prudência* e *Temperança*. Bellini só fez um desenho da *Fortaleza*, mas Dürer desenhou todas as quatro. Todas em miniatura, incrivelmente detalhadas.

– O que isso significa... "prudência"? – James perguntou.

Seu pai fez uma pausa.

– Na verdade, cuidado. Ser cauteloso, pensar antes de agir.

Assim era James, pensou Marvin. James sempre era cuidadoso.

– E temperança é moderação – explicou Christina. – Não exceder os limites.

Marvin revirou os olhos, embora ninguém pudesse vê-lo. Os adultos pareciam não entender que era sempre melhor exceder os limites.

– Está certo, quatro desenhos de Dürer – resumiu Karl. – E?

– E... eles foram roubados. Ou, pelo menos, três deles foram. *Prudência* e *Temperança* foram levados de um pequeno museu em Baden-Baden, Alemanha, dois anos atrás. Eram tão leves, o ladrão apenas tirou as molduras da parede e enfiou dentro de seu casaco.

Seria fácil esconder esses desenhos, Marvin pensou. Eram muito pequenos.

– *Justiça...* – Christina hesitou.

Marvin viu que Denny estava olhando para ela, a expressão dele era uma mistura de simpatia e arrependimento. Quando ela fez a pausa, ele começou a falar consigo mesmo:

– *Justiça* foi roubada o ano passado. O Met havia acabado de comprá-lo, pressionado por Christina, de um negociante londrino. Foi um grande golpe para a coleção. Os desenhos dos grandes mestres tornaram-se muito cobiçados ultimamente, vendendo por centenas de milhares. Eu o queria para o Getty, claro. – Ele sorriu para James. – Uma companhia para *Fortaleza*. Meu museu na Califórnia tem uma grande coleção de desenhos europeus, e tenho uma queda por Dürer. Pelo desenho das *Virtudes* em particular.

– A *Justiça* tinha um pequeno dano provocado pela

umidade – Christina continuou. – Estava no Departamento de Conservação, março passado, sendo reparado, quando o escritório foi invadido. Esse desenho foi a única coisa que levaram. – Balançou a cabeça para Denny.

– Foi terrível – disse. – Eu estava em Nova York para uma conferência, e o ladrão estragou o nosso final de semana. Ficamos todos completamente perplexos.

– Lembro de ter lido a respeito – disse Karl. – Mas por que só esse desenho? Devia haver outras obras valiosas na Conservação.

Christina e Denny trocaram um sorriso pensativo.

– Dürer – Denny disse.

– Sim, Dürer – Christina concordou.

– Se fosse só um ladrão qualquer... você está certo, havia várias pinturas valiosas no escritório. Mas não era questão de dinheiro, na minha opinião, nem os roubos dos outros desenhos de *Virtude*, *Prudência* e *Temperança*. As pessoas têm uma coisa por Dürer.

Karl levantou uma sobrancelha.

Porém, Marvin compreendeu imediatamente. Era o poder dos desenhos: a tristeza, a domesticidade serena das pessoas. Elas eram tão reais.

James mordeu o lábio, estudando o desenho de Marvin da mulher e do leão.

– Mas não entendo por que você precisa de uma cópia deste – disse. – Você *tem* ele. Por que não quer uma cópia de *Justiça*, já que é o que está faltando?

– Porque, James – Christina disse ansiosa, suas palavras gentis, mas apressadas – acho que alguém está colecionando esses desenhos. E seja quem for essa pessoa, vai querer o conjunto completo. As quatro virtudes. Esta é a única que resta. – Virou-se para Denny. – Já conversei com pessoas do FBI, do programa de roubos de arte. Eles acham que isso pode funcionar. Querem ajudar.

– Ajudar no quê? – exclamou Karl, frustrado. – Ainda não estou entendendo.

James atirou-se numa cadeira, e Marvin imediatamente ficou impedido de ver qualquer um dos adultos. Saiu um pouquinho do bolso e subiu, sorrateiro, pelo zíper de James, feliz porque a atenção de todos estava focada em outro lugar.

Christina respirou fundo.

– Está bem, está bem. Sinto muito. Sei que é complicado. Mas tudo está quase no lugar! – Olhou para Denny. – Tenho o apoio do FBI. Eles têm um contato secreto, alguém que negocia arte roubada. O que preciso é de uma falsificação da *Fortaleza*.

– Mas por quê? – perguntou James.

Christina juntou as mãos, o rosto enrubescido.

– O meu plano é este: você o desenhará de novo para nós, James, com o papel certo e a tinta certa. Depois, nós substituiremos o desenho verdadeiro pelo seu, e encenaremos um roubo. Veja, o desenho tem que ser bom, mas não precisa ser perfeito. Todo mundo sabe que *Fortaleza* faz parte desta exposição. Sabem que é o original. A autenticidade de nossa falsificação não será julgada pelo ladrão, só pela pessoa que pretende comprá-lo... e esse negócio nunca acontecerá.

– Que ladrão? – perguntou Karl. – Isso não está fazendo sentido. Você vai contratar alguém para roubar seu próprio desenho?

– A falsificação. Não o verdadeiro. E o "ladrão" será alguém que trabalha para o FBI – fez uma pausa. – Eles colocarão algum tipo de dispositivo rastreador no desenho falso da *Fortaleza*. O FBI colocará o desenho nas mãos de alguém que trabalha com roubo de arte...

   – E essa pessoa levará aos outros desenhos – terminou Denny. Devagar, ele balançou a cabeça. – Ao *Justiça*. É muito esperto.

Era esperto, Marvin pensou. Quem suspeitaria que um museu estaria por trás de um roubo de si mesmo? De falsificar sua própria arte?

Karl balançou a cabeça.

– Mas como você colocará o desenho no mercado negro? Isso não é muito fácil. Não é como se você tivesse contatos regulares com criminosos. – Ergueu suas sobrancelhas, acrescentando. – Suponho.

– Não – admitiu Christina. – Mas lembra do que Denny disse sobre o ladrão de Estocolmo? O policial disfarçado? Esse é um dos meios mais eficazes de recuperar arte roubada: oficiais da polícia ou agentes da FBI se passando por comerciantes de arte clandestinos. Tenho certeza de que conseguiremos colocar a falsificação nas mãos certas – sorriu. – Ou nas mãos erradas, para ser mais exato.

– Tiro o chapéu para você, Christina – disse Denny. – Estou impressionado.

– Então, você vai fingir que rouba o meu desenho? – perguntou James.

Christina assentiu.

– Mas e se você estiver errada? – perguntou Karl. – E se não existir essa pessoa que está colecionando o conjunto completo? E se os desenhos não estiverem juntos?

– Bem, essa é uma possibilidade.

– E se alguma coisa acontecer com meu desenho? – perguntou James. Do seu lugar na jaqueta de James, Marvin estremeceu. Seu desenho... será que ele desapareceria nesse mundo de falsos policiais e armas e pinturas de milhões de dólares perdidas para sempre?

Christina ajoelhou-se ao lado de James, pertinho de Marvin, que rapidamente se escondeu em uma dobra do tecido.

– Tudo isso é um jogo. Eu sei disso – disse gentilmente, olhando só para James. Marvin percebeu que essa era uma das coisas de que gostava em Christina: como ela prestava toda atenção a James, como se qualquer coisa que ele dissesse ou perguntasse fosse exatamente tão importante quanto os comentários vindos dos adultos.

– Ao FBI não importa – continuou – se nosso roubo encenado levará aos desenhos roubados de Dürer ou a outras obras de arte roubadas. De qualquer maneira, levaria a peças chave no mercado negro de arte. Mas, claro, *eu* me importo. Se isso não nos trouxer de volta a *Justiça*, eu... – hesitou – ficarei muito desapontada.

Karl ainda parecia em dúvida.

– Entendo como isso poderia funcionar, mas você não precisaria de muitas outras pessoas no esquema? Quero dizer, a segurança do museu, a polícia da cidade de Nova York, os jornais...

– Bom, os jornais, não – interrompeu Denny. – Suponho que seja importante que a imprensa cubra isso como se fosse um verdadeiro roubo.

– Sim – concordou Christina. – Tem que parecer um roubo verdadeiro para todos de fora. Mas, Karl, você está certo quanto aos outros. Tenho que obter permissão do diretor do Met e ter certeza de que a polícia local estará nos apoiando. É por isso que o envolvimento do FBI é importante. E Denny, gostaria que você também obtivesse a permissão do Getty, obviamente, já que é uma de suas peças emprestadas que estará no centro de todo o plano. A questão é...

Christina continuou olhando para James, os olhos cheios de admiração.

– Essa ideia me ocorreu meses atrás, quando Denny e eu estávamos discutindo a montagem da exposição. Mas nunca pensei que encontraria alguém que pudesse fazer a falsificação. Não acreditava que isso fosse possível... até ver seu desenho, James. E então, pensei: "Ele poderia fazer isso." E você fez!

Marvin sentiu uma mistura estranha de orgulho e medo e preocupação. James apenas ficou ruborizado, olhando para o desenho.

– Está bem – disse, calmo. – Você quer que eu faça uma cópia para que possam roubá-la.

– Sim – concordou Christina. – Roubar o falso para encontrar o verdadeiro. *Justiça*.

■ ■ ■

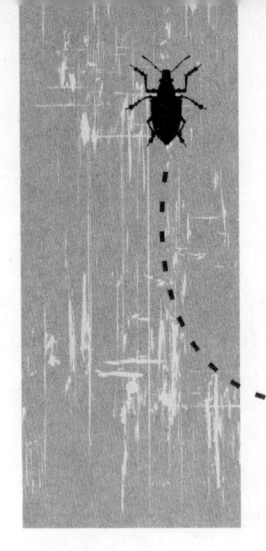

15 - Pegando uma Carona

Eram quase sete horas quando Karl, James e Marvin retornaram ao apartamento dos Pompadays e deram à Sra. Pompaday uma explicação plausível (mas não muito detalhada) de porque James precisaria fazer outra visita ao Met naquela semana. Karl a descreveu como uma aula particular especial com a curadora de Desenhos e Gravuras, o que satisfez os desejos da Sra. Pompaday de tratamento especial, reconhecimento da excelência do filho e entrada para um mundo exclusivo de atividades da alta classe, tudo de uma vez. Combinaram que Karl pegaria James na quarta-feira às quatro horas.

Quando James, por fim, se retirou ao santuário de seu quarto, Marvin estava frenético para voltar ao seio de sua própria família. Estariam transtornados de preocupação. Tinha passado fora a noite – outra vez! – e todo o dia seguinte, e não havia como saberem o que tinha acontecido. Içou para a beirada do bolso da jaqueta e começou a descer pelas pernas da calça do garoto até o chão. James o parou com um dedo.

– Aqui – disse ele – deixe-me ajudar. Não sei onde você está indo, mas é lá fora no corredor, em algum lugar, certo? É lá que você mora?

Marvin suspirou. Como seria maravilhoso se ele pudesse explicar a James onde ficava sua casa e pegar uma carona direto até lá. James levaria apenas alguns meros segundos para atravessar o apartamento até o armário da cozinha, comparado à meia hora ou mais que Marvin levaria. Esse era um aborrecimento realmente inconveniente de ser amigo de alguém com quem não dava para se comunicar de nenhuma das maneiras normais.

Mas talvez James imaginasse alguma coisa. Parecia que valia a pena tentar. Pelo menos, ele chegaria até o corredor. Marvin rastejou até um nó dos dedos de James e se segurou firme enquanto o garoto caminhava até a porta.

– Não se preocupe – disse James. – Não deixarei ninguém ver você. – Entreabriu a porta e olhou para os dois lados. Escutaram William gritando na cozinha. "Ae! Ae! Ae, Ae!"

– Estou indo, William – gritou James, sorrindo um pouco. James era inexplicavelmente paciente com William, pensou Marvin, submetendo-se a ter seu cabelo puxado, e pegando os brinquedos que ele jogava no chão. Nenhum dos besouros entendia isso.

– Minha mãe está preparando o jantar – James disse a Marvin. – Está tudo certo. – Agachou-se e pôs o dedo no piso encerado, perto do rodapé. – Aqui? – Ficou observando Marvin.

Marvin começou a descer, mas então James disse – Ei! Sabe o quê? Se você rastejar até a ponta do meu dedo quando eu estiver no lugar certo, posso deixar você *exatamente* no lugar

onde você tem que estar. Apoiou-se nos calcanhares, sorrindo.
– Será como aquele jogo Quente ou Frio, você conhece?

Marvin sorriu exultante para ele. James era tão esperto. Posicionou-se no meio do dedo de James e segurou-se enquanto o garoto caminhava pelo corredor, parando a cada poucos minutos e observando a reação de Marvin. Marvin continuava no mesmo lugar.

James entrou no banheiro, depois enfiou a cabeça no quarto dos pais. *Não é aqui*! Marvin pensou, tremendo. Não podia sequer imaginar passar mais tempo do que o absolutamente necessário com o Sr. e a Sra. Pompaday. Que algazarra faziam com a tagarelice constante, sem mencionar as explosões frequentes.

– Hum! – disse James. – Espero que você tenha entendido o que eu disse. Você parece não estar fazendo nada. Escute, se eu não estiver *perto* de onde você mora, vá para o outro lado, saindo do meu dedo em direção à mão, está bem?

Marvin, prestativo, rastejou para a mão de James.

James riu alto.

– James, é você? O que é tão engraçado? – A Sra. Pompaday pôs a cabeça na porta da cozinha, olhando para o corredor. James imediatamente abaixou a mão, e Marvin se segurou como pôde.

– Nada – disse James. – Vi uma coisa engraçada.

A Sra. Pompaday olhou para ele, desconfiada.

– No corredor? Espero que você não tenha rido da minha estátua Apsara.

Marvin observou-a dirigir-se para a mesinha do saguão e suavemente erguer a pequena estatueta de uma mulher nua dançando, entalhada à mão na madeira.

– Reparei que alguns de seus amiguinhos riram dela durante a festa, mas acredito que você é mais maduro do que eles. O corpo feminino é uma coisa bonita, James.

James ficou embaraçado

– Eu não estava rindo dela, mãe.

– Bem, ótimo, porque agora você é um *artista*, querido. Precisa mostrar sua admiração pela arte de culturas diferentes... até aquelas tolas esculturas esquimós antigas que seu pai tem pelos cantos. Ora, quando eu penso que seus lindos desenhos poderão ficar pendurados na sala de alguém. – Oh, fico toda arrepiada! – Girou e deu um beijo no cocuruto de James.

James ficou todo rígido com a surpresa e deslizou sua mão para trás, protegendo Marvin.

– A que horas vai ficar pronto o jantar? – Perguntou, claramente desesperado para mudar de assunto.

– Em vinte minutos. – A Sra. Pompaday voltou para a cozinha.

James caminhou para a sala de estar.

– Já quase não tem mais quartos por aqui, amiguinho. Aqui? – Parou no meio do tapete oriental, olhando em volta. Marvin não se mexeu.

– Está vendo o quadro de cavalo do meu pai? – James perguntou gentilmente. – Não é bacana? – Chegou mais perto, inclinando-se no sofá para examiná-lo. A pintura era ousada e cheia de graça, com sua afluência de cor azul clara. Você nunca saberia que era um cavalo a menos que alguém lhe dissesse. Mas depois que sabia que era um cavalo, era impossível vê-lo como outra coisa.

James olhou para Marvin.

– Você acha que algum dia serei capaz de fazer alguma coisa assim? Provavelmente não. – Suspirou. – Quer dizer, eu não sei sequer desenhar. É você que sabe.

Marvin olhou para ele, com simpatia.

– Mas não sem meu tinteiro, certo? – James disse, sorrindo de repente. – Então, *é* como se você precisasse de minha ajuda. – Olhou outra vez para a tela de seu pai. – Mas será que você conseguiria pintar um quadro assim? Acho que não. Nada assim grande, de qualquer maneira. Levaria anos! É melhor ficarmos com as coisas pequenas.

Marvin compreendeu que era possível ter toda uma conversa com James sem dizer uma palavra. Havia besouros assim, que falavam sem parar... mas, com James, era como se ele também escutasse, e preenchesse os vazios com o que sabia que Marvin diria se pelo menos pudesse.

– Está bem. Sala de jantar? – James dirigiu-se atenciosamente em direção à arcada. Marvin continuou no mesmo lugar. – Hum? Não acho que você more no quarto de William. Eu lhe contei que William comeu uma joaninha uma vez? Sim, comeu. Pegou a pobre e enfiou direto na boca. Minha mãe ficou completamente enlouquecida. – Marvin estremeceu enquanto James continuava. – Vamos tentar a cozinha, mas temos que ter cuidado porque todo mundo está lá.

Quando entraram na cozinha, Marvin se mexeu em direção ao meio do dedo de James. Ele sorriu.

– Ótimo! Ficando quente! – Sussurrou, entrando nas pontas dos pés no cômodo.

A Sra. Pompaday estava ocupada no fogão, mexendo alguma coisa com a colher de metal. Marvin rastejou até a ponta do dedo de James que rapidamente se curvou e o depositou no chão, perto da parede dos armários. Maravilhado com a facilidade e rapidez da jornada até sua casa, Marvin se lançou agradecido para dentro das sombras.

– James – a Sra. Pompaday protestou. – Não me assuste assim, quase tropecei em você. E o que você está fazendo aí no chão?

– Amarrando meu cadarço – James murmurou, justo quando Marvin desaparecia dentro do armário da cozinha.

■ ■ ■

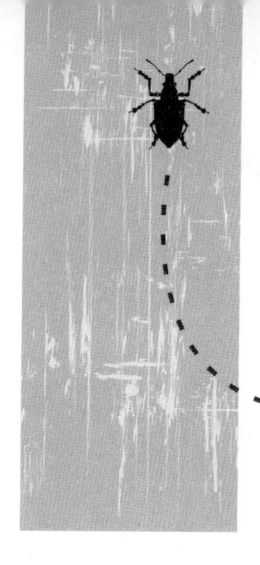

16 - Arriscado Demais

Quando Marvin entrou pela porta da frente, sua mãe explodiu em lágrimas.

– Oh, Marvin, querido! Por onde você se meteu?

– Desculpe, Mama – Marvin começou, mas antes que pudesse terminar, ela o apertou em um abraço, cobrindo a carapaça dele com várias pernas de uma vez.

Seu pai veio às pressas, limpando a garganta, rouco.

– Marvin, você quase nos fez perder nossas cascas de tanta preocupação! Por que não voltou para casa ontem? Você me criou um enorme problema com sua mãe por ter permitido que você ficasse para trás, espero que tenha consciência disso.

– Nós fomos a um museu...

– Um museu? O quê? – Mama arregalou os olhos. – Você saiu do apartamento? Marvin, você não pode fazer coisas humanas como essa. É perigoso demais. Sei que você quer ajudar James, mas não com o risco de sua própria vida. Pôxa, seu pai e o tio Albert fizeram inúmeras viagens ao quarto de James procurando você. Não tínhamos ideia do que tinha acontecido!

– Desculpe – Marvin disse outra vez. Contou sobre os desenhos do Met, a visita ao escritório de Christina, e a surpresa de ter caído no chão e ficado lá.

– Ah! – Mama exclamou. – Querido, você tem sorte de ainda estar vivo! O que você estava fazendo lá, afinal?

Marvin suspirou. Tanta coisa tinha acontecido desde ontem. Como poderia fazer seus pais entenderem?

– Estou faminto – disse. – Podemos conversar sobre isso no jantar?

Mama concordou.

– Sim, sim, claro, você deve estar morrendo de fome. Vamos, sente-se e coma alguma coisa. Foi um dia longo para todos nós.

Assim, os três besouros juntaram-se em torno de uma borracha retangular cor de rosa que lhes servia de mesa de jantar, e Mama colocou os pratos laminados com comestíveis apetitosos: minúsculas flores de brócolis ao vapor, do jantar dos Pompadays, dois cubos de cheddar, do almoço de William, pele de galinha marrom crocante, uma casca de limão, uma batata frita amassada e uma bala de cereja para sobremesa. Marvin devorou esfomeado cada pedaço, e entre bocadas foi transmitindo de modo hesitante a história de Dürer, os desenhos das *Virtudes* desaparecidos, seus próprio esforço para copiar *Fortaleza*, e o plano de Christina de encenar um roubo no museu.

Seus pais ficaram tão atônitos que pararam de comer no meio da refeição e ficaram só escutando. Quando Marvin terminou, Papa balançou a cabeça.

— Bem, isso é espantoso. Fingir o roubo do próprio quadro deles, hein?

— Mas não da pintura verdadeira — disse Marvin. — Da minha cópia.

Mama sorriu para ele.

— Tenho certeza de que deve ser linda, Marvin. Queria poder ter visto! Mas os humanos levam uma vida tão complicada, não é mesmo? Por que as pessoas roubariam uma coisa que não podem vender e nem mesmo pendurar em sua própria parede?

Marvin hesitou. Entendia isso de alguma maneira.

— Talvez só para tê-la. Porque é tão bonita... assim, você poderia olhar para ela sempre que quisesse.

— Bom, não acho que isso faça sentido — Mama disse. — E é errado.

— Os humanos são mestres em criar seus próprios problemas — Papa concordou.

— Estou feliz por você ter voltado a salvo para casa, Marvin. É hora de esquecer tudo isso.

Marvin hesitou.

— Não posso, Mama.

— O que você quer dizer?

— Christina Balcony, a mulher do museu, precisa de James para fazer outra cópia de *Fortaleza*. Uma realmente boa... o que significa que ele precisa de mim.

— Para fazer outro desenho? — Mama balançou vigorosamente a cabeça. — Querido, não! É simplesmente impossível. É arriscado demais.

– Sua mãe está certa, Marvin – Papa fez coro. – A família não gostou disso desde o começo. Queríamos que você deixasse completamente de desenhar, lembra? Você não pode se envolver mais. É perigoso para todos.

– Mas...

– Sinto muito, Marvin. Sei que você quer ajudar James – sua mãe disse delicadamente. – Você tentou o melhor que pôde. Mas já é hora de deixar os humanos resolverem isso por conta própria.

– Mama, por favor – protestou Marvin. – Você não entende. James não consegue fazer o desenho sozinho. Está contando comigo.

Mama pegou com firmeza uma perna de Marvin e o levou para seu quarto.

– O que entendo é que isso já foi longe demais. É uma fraude elaborada, é isso que é. Por um bom propósito ou não, ainda assim é errado. Você não se lembra do ditado, "Ah, que rede emaranhada tecemos quando temos a intenção de iludir"?

Marvin girou os olhos.

– Mama, esse é um ditado das *aranhas*.

– Mas aplica-se muito bem aqui. Você está ajudando James a enganar pessoas. Passou duas noites fora de casa, sob circunstâncias que poderiam ter te machucado seriamente ou mesmo te assassinado. Basta, querido. É hora de ir pra cama. Tenho certeza que está exausto depois de sua aventura no museu.

– Mas, Mama...

– Boa noite, Marvin. Durma bem, não deixe os percevejos te morderem. – Aconchegou-o em sua cama de bola de algodão, beijou sua carapaça e saiu do quarto.

Marvin ficou deitado de lado, completamente acordado, olhando para a parede. Hoje era segunda-feira. James deveria retornar ao museu depois da escola na quarta, para fazer o novo desenho. Pensou no garoto olhando para a página vazia, sem ideia do que fazer. Como Marvin poderia abandoná-lo? Isso era o próprio coração da amizade, Marvin pensou – a vontade de ajudar um ao outro num aperto, considerar como seu o problema de um amigo.

Marvin suspirou. Tinha que pensar em alguma coisa antes da tarde de quarta-feira, ou James se veria em maus lençóis.

■ ■ ■

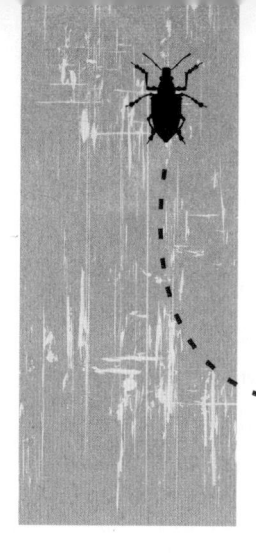

17 - No Solário

Marvin dormiu até tarde na manhã seguinte, exausto com os acontecimentos dos últimos dias. Quando finalmente acordou, sua mãe estava ao lado de sua cama, sorrindo.

– Marvin, Papa e eu pensamos em um belo passeio para você hoje, alguma coisa para despreocupar sua cabeça. Edith, Albert e Elaine vão nos encontrar para um piquenique no solário. Há semanas não vamos lá, e isso vai levantar sua moral, querido. Mas as faxineiras chegam às nove, portanto você tem que se levantar agora.

Do outro lado do apartamento dos Pompadays, havia uma pequena e clara varanda ensolarada, cercada de vidro e cheia de plantas florindo. Era a única experiência usual que os besouros tinham da natureza, e era especialmente agradável no inverno, quando as folhagens exóticas e as flores de cheiro adocicado ofereciam um respiro para os dias frios e cinzas que se expunham pelas janelas do apartamento. Como era longe demais para uma viagem fácil de um dia, os besouros em geral esperavam as terças quando as faxineiras vinham, pegando uma carona no lado de baixo do tubo do aspirador de pó. As faxineiras tinham o hábito regular de primeiro limpar a cozinha e depois o solário, porque ambos exibiam um piso de azulejo que requeria um acessório especial no aspirador.

Normalmente, a perspectiva de um dia no solário teria maravilhado Marvin, já que era um verdadeiro parque de diversões para jovens besouros. Mas, hoje, parecia uma distração para projetos mais importantes.

— Está bem — disse, taciturno, ainda pensando em James e nos desenhos.

— Oh, Marvin, por favor! Anime-se. Será divertido. Coma algum desjejum rapidamente... temos bacon esta manhã! James deve ter errado a lixeira quando raspou seu prato... e depois vamos. Olha... Elaine já chegou.

Sua mãe voltou para a cozinha e Marvin rolou para fora da cama, esfregando os olhos enquanto sua prima enfiava a cabeça pela porta.

— Marvin! Nem acredito que você foi ao museu sem mim! Parece fantástico. Bem, assustador, claro. Quero dizer, MUITO assustador, e se você fosse esmagado por aquela mulher e tudo isso. Ainda bem que ela não o matou com o tapa. E se ela confundisse você com um mosquito? KA-PUM! Você seria um cadáver agora.

Marvin fez uma careta para ela.

— Eu sei.

— Queria ter ido com você! Morro de vontade de conhecer o mundo. Jamais consigo sair desse lugar. Um téééédio!

Marvin sentiu uma vaga pontada de solidariedade. Com certeza, era uma boa coisa ficar seguro, mas podia ser também tedioso. Você sempre fica pensando no que está perdendo. Um pequeno perigo valia a pena só para mexer com as coisas, para acrescentar um pouco de surpresa à vida. Um perigo *pequeno*, pensou.

Marvin engoliu seu desjejum, e então ele, Elaine, tia Edith, tio Albert, Mama e Papa, saíram do armário e foram até o local preferido de espera da carona no aspirador: a parte de baixo do lava-louça. Escondidos da vista, esperaram pacientemente até as faxineiras terminarem de passar o aspirador no piso da cozinha. Assim que as duas mulheres foram buscar seus suprimentos de limpeza, os seis besouros se lançaram em direção ao tubo do aspirador, subindo pela roda empoeirada, e se escondendo debaixo da barriga dura de metal. Papa e tio Albert equilibravam-se desajeitados; entre os dois, a cesta de piquenique, que fora confeccionada com a ponta de uma luva de borracha amarela. Estava abarrotada de comida, amarrada com um pedaço de barbante.

Uma das faxineiras deu um puxão no aspirador e ele deslizou facilmente pelo piso da cozinha, pelo corredor, e tapete da sala de estar até o solário. Ali, ela parou para abrir as portas de correr, depois arrastou o tubo pela armação da porta e o bateu contra o piso de terracota. Esta era a pior parte da jornada, e, inevitavelmente, um dos besouros quase caía. Hoje, foi Mama, que havia se soltado do tubo momentaneamente para apertar o barbante da cesta.

– Querida, segure-se! – Papa gritou, agarrando a ponta da carapaça dela no último minuto.

E assim, todos chegaram em segurança ao solário. Desceram do tubo e se esconderam debaixo dele até terem certeza de que as faxineiras estavam distraídas, e então correram pelo piso.

Era sempre um desafio manter a cesta de piquenique fora da vista nessa parte da viagem. Embora fosse minúscula, para os padrões humanos, sua cor amarela brilhante atraía atenção. Rapidamente, Mama e tia Edith abriram caminho até o pé de um dos suportes dos vasos – uma série de prateleiras em ziguezague, em uma estrutura de ferro batido ornamentada com volutas, carregada de plantas desabrochando.

Assim que chegaram ao topo, Elaine disparou, puxando Marvin com ela.

– Vamos fazer uma exploração – gritou.

– Encontrem conosco no jardim de ervas para o almoço – Mama gritou atrás deles. – Vamos ter uma bela salada de orégano em nosso piquenique. Por volta do meio-dia, está bem?

– Está bem, Mama – Marvin respondeu, mergulhando por baixo de uma alfazema com Elaine.

O solário era cheio de entretenimento para Marvin e Elaine. Elaine gostava de começar na caixa de gerânios, onde a Sra. Pompaday guardava sua pá de jardinagem de metal. A pá em geral ficava encostada contra a parede, inclinada em um ângulo perfeito para ser usada como escorregador. Hoje, subiram pela parede até onde seu cabo de metal estava encostado, delicadamente passaram por ele e, firmando o pé ali, foram para a parte de metal.

– Você primeiro – anunciou Elaine. Ela jamais gostava de ir até ter se certificado de que não havia nenhuma surpresa desagradável no final, onde a ponta da pá desaparecia dentro da terra esfarelada. Uma vez, a pá estava enfiada contra a base de um gerânio, e Elaine, sem reparar, escorregou pela pá diretamente na raiz cheia de folhas, batendo a cabeça e quase desmaiando.

Marvin se colocou na posição, segurando na beirada da pá com suas duas pernas traseiras.

– Aqui vou eu... – disse.

Soltou-se do metal e escorregou pela pá como uma bala.

– Uuuuuuuuu... – gritou, zunindo pelo espaço. Os gerânios eram uma mancha laranja e verde na periferia de sua visão.

– Agarre suas pernas para ir mais depressa – gritou Elaine atrás dele.

Pouco antes de chegar ao chão, Marvin se lançou da pá para

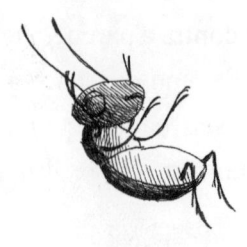

o ar, flutuando sobre a terra e aterrissando em um dos brotos de gerânio.

— Essa foi impressionante! — gritou Elaine, deliciada. — Minha vez... olha isso!

Atirou-se de costas e, agitando as pernas alegremente no ar, planou deslizando pela pá ainda mais veloz que Marvin... embora, notou, tivesse insuficiente alavancagem para voar ao se aproximar do chão, de modo que, em vez disso, bateu, colidindo com a cavidade de terra na base da pá.

— Essa foi boa — exclamou, aprovando.

— Vamos fazer um trenzinho — Elaine sugeriu.

Subiram até o topo da pá e se ligaram, com as pernas traseiras de Marvin agarrando as pernas dianteiras de Elaine, e lá foram eles, mais do que rápidos, com a carga dupla impulsionando-os para baixo pela superfície escorregadia.

Passaram a maior parte da manhã inventando variações sobre esse tema: o convés-duplo (um por cima do outro), a xícara giradora (ambos sentados, com todas as seis pernas ligadas), a barrigada dupla (lado a lado, pernas dianteiras se tocando, lançando-se do topo da pá para o ar). Por fim, afundaram-se na terra macia, completamente exaustos.

— Já está na hora do almoço? — Elaine quis saber. — Estou morrendo de forme.

— Eu também — respondeu Marvin. — Mas olha o relógio.

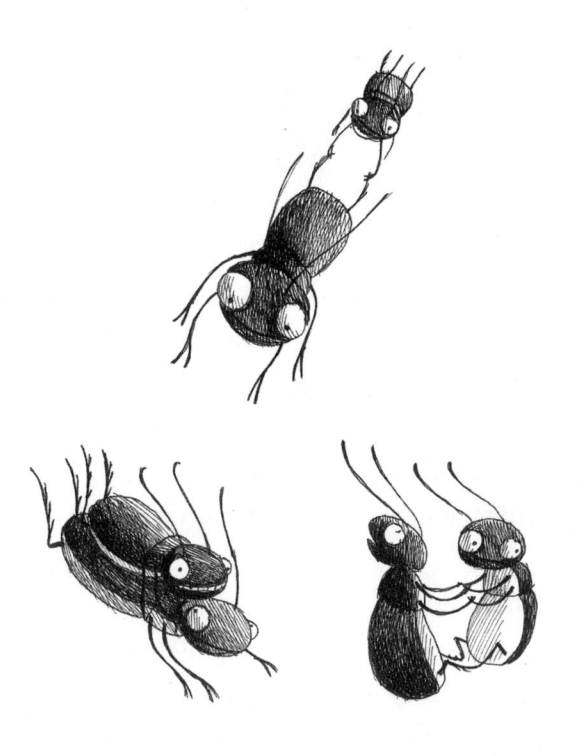

O relógio de parede azul e verde, decorado com um relevo de cerâmicas com as glórias matutinas, estava pendurado na parede oposta, entre as grandes vidraças. Marvin viu que seus ponteiros escondidos pelas trepadeiras dividiam exatamente o mostrador. Os besouros tinham entendido o básico da contagem do tempo a partir de uma longa observação do grande relógio da parede da cozinha – era prático acompanhar as refeições dos Pompadays. Embora Marvin não conseguisse identificar os números, sabia que os ponteiros do relógio juntos apontavam o meio-dia.

– Ainda temos um tempinho – disse a Elaine.

– Hummmm – disse Elaine. – Já sei! Vamos ver o que a tartaruga está aprontando. – Lançou um olhar desafiador a Marvin. Tecnicamente, não deviam nem chegar perto do aquário da tartaruga, como Elaine sabia perfeitamente. Tanto Mama quanto tia Edith achavam a tartaruga extremamente perigosa.

Marvin hesitou. Desde que ficassem longe do lado de fora do vidro, que mal poderia ter? De qualquer maneira, a tartaruga era indolente e indiferente a visitantes, provavelmente sequer iria notá-los.

– Está bem – disse Marvin.

– Verdade?! – Elaine guinchou, contente. – Tinha certeza que você ia dizer não. Acho que você está ficando mais valente, Marvin.

Deu tapinhas de aprovação na carapaça dele e correu pelo canteiro de gerânios, ao longo da prateleira de ferro batido, depois, descendo pela perna do suporte de vasos até o chão. Marvin a seguiu, olhando ao redor para se certificar de que as faxineiras tinham ido embora. Elas nunca demoravam muito tempo para limpar o solário, mas sempre deixavam as portas de puxar abertas durante algum tempo, para arejar o espaço. A Sra. Pompaday fechava-as no começo da noite, quando os besouros já teriam retornado há muito para casa. Em raras ocasiões, Mama e Papa organizavam um acampamento, e a família toda passava a noite lá. Mas os adultos sempre eram cuidadosos em observar as idas e vindas dos humanos, porque, como Papa afirmava, a última coisa que precisavam era que os Pompadays vissem um besouro e decidissem contratar uma companhia de fumigação em larga escala nesse agradável local de passeio. Isso poderia arruiná-lo de verdade.

– A costa está limpa – Marvin lhe disse.

— Vá por trás da mesa — Elaine recomendou. — Para que nossos pais não nos vejam.

Marvin abriu caminho por trás da grande mesa de madeira onde o aquário de tartaruga ficava pousado no centro, cercado por pequenos vasos de orquídeas e violetas. Subiu pela parede de gesso até a beirada da mesa e ao longo da superfície polida até a quina de vidro do aquário. O tanque estava meio cheio, com uma água verde escura. Tinha uma grande pedra achatada de um lado – com uma tigela de plástico rasa de comida no meio – onde a tartaruga subia para tomar sol quando não estava nadando. Raramente nadava, Marvin achava, e hoje, como era de se esperar, estava deitada impassivelmente na beirada da pedra, perto da tigela de comida.

— Ela não está fazendo nada — disse Marvin.

— Ah, nunca faz, não é? – zombou Elaine. — Velha tediosa. – Subiu alguns centímetros pelo lado do vidro. – Vamos ver se conseguimos chamar sua atenção.

— Elaine — Marvin disse, preocupado. — Não acho que você deva fazer isso.

— Ora, é perfeitamente seguro. Estou do lado de fora.

— Eu sei, mas não deveríamos nem estar aqui. — Marvin espiou para os lados, nervoso. Se um dos adultos visse Elaine subindo na lateral do aquário, certamente haveria um alvoroço.

— Você vem? – Elaine perguntou, impaciente.

Marvin suspirou. Relutantemente, subiu um pouco pelo vidro. Era escorregadio e frio sob os pés.

Elaine estava vários centímetros acima, agitando suas pernas para a tartaruga.

— Uuu-huuu! Aqui, sua grande preguiçosa... olhe pra cima! Olhe direito!

A tartaruga não se mexeu.

– Ah, francamente. Ela é cega como um morcego. – Elaine se arrastou para a beirada do aquário.

– Elaine, não – Marvin protestou. – Você está perto demais. Pode cair.

– Não, não vou cair – respondeu Elaine. – Além disso, não teria importância se caísse. Essa tartaruga é velha demais, cansada demais e boba demais para se importar.

Marvin subiu um pouco mais. Enquanto se aproximava do meio do vidro, viu um lampejo de alguma coisa – tão rápido que não teve certeza de ter visto – e então pam! A lateral do aquário balançou com tal força que o atirou no chão.

Poxa, que velha traiçoeira, pensou Marvin. A tartaruga deve tê-lo visto, afinal. Investira contra o vidro sem compreender que Marvin estava do outro lado, fora do alcance, e agora se agitava na água junto ao vidro, sua cabeça lisa movendo-se para frente e para trás.

– Você viu isso? – Marvin gritou para Elaine. Rastejou de volta para a lateral de vidro. Quando ela não respondeu, ele olhou para cima.

Elaine não estava em lugar nenhum.

– Elaine! – Marvin gritou. Talvez quando a tartaruga socou o vidro ela também tenha caído para trás. Agarrou-se no vidro e olhou em volta, examinando as folhas redondas e cheias de penugem das violetas, o branco botão da orquídea.

– Elaine, onde você está?

Nada de resposta. Marvin, cada vez mais em pânico, subiu mais pela lateral do aquário para ver melhor.

– Elaine?

Então, ele a viu. Ela estava flutuando de costas na água, lá embaixo, perfeitamente quieta, enquanto a tartaruga mergulhava e voltava à superfície bem perto.

                ◾ ◾ ◾

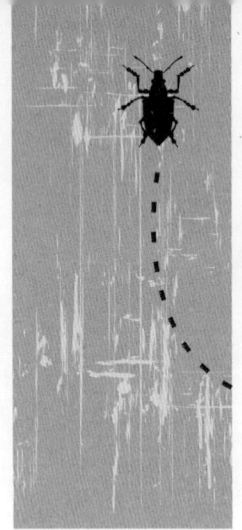

18 - Batalha entre a Tartaruga e o Besouro

Ela deve ter caído quando a tartaruga bateu no vidro.
– Elaine, não se mexa! – Marvin gritou. – Não faça barulho nenhum! Ela ainda não viu você. Eu já vou.

Felizmente, estava de costas, pensou Marvin, porque Elaine realmente não era uma nadadora. De costas, pelo menos, podia flutuar... mas não poderia fazer nada para se safar. E com a tartaruga adernando, como estava, na água, era só uma questão de tempo.

Marvin contornou o tanque, seus olhos sempre presos na prima. Quando chegou do outro lado do aquário, cuidadosamente subiu até a beirada do vidro e começou a descer do outro lado. Estava alto demais para a tartaruga vê-lo, mas tinha que descer até embaixo sem ser notado.

Elaine estava olhando para Marvin com enormes olhos assustados. A tartaruga deslizava e mergulhava na água bem perto, seu longo pescoço reluzente sendo jogado para trás e para frente como um monstro marinho.

Marvin esperou até a tartaruga estar com o rosto de frente para o tanque, então correu rapidamente descendo pela lateral. O vidro estava escorregadio com a condensação. Assim que a tartaruga se virou para ele, Marvin gelou. Elaine estava flutuando em direção à pedra grande, e a tartaruga agora também ia para lá, os cotos de suas pernas batendo na água.

Marvin tentou pensar no que fazer. A coisa mais fácil seria rastejar até a pedra e tirar Elaine quando chegasse perto. Mas não havia tempo. A tartaruga estava nadando direto em direção a ela.

– Elaine – gritou –, quando eu agarrar sua perna, segure firme!

Respirando fundo, Marvin mergulhou da lateral direto na água verde escura.

Imediatamente, submergiu. Assim que abriu os olhos, viu a barriga maciça da tartaruga sobre ele, suas pernas batendo em direção à Elaine, que, apanhada pela propulsão, girava sem parar.

Marvin disparou em direção à carapaça preta de Elaine, tentando cegamente alcançar sua perna. Sentiu mais do que viu as mandíbulas devoradoras da tartaruga justo quando puxava Elaine junto com ele para as profundezas.

    Mergulharam para baixo pela água escura, com Marvin ziguezagueando para escapar do alcance da tartaruga. Nadou o mais rápido que podia, mas sem sua boia de casca de amendoim e com uma das pernas agarrando Elaine, não tinha nem a força nem a velocidade costumeira. Cada vez que dava uma espiada para trás, a cabeça da tartaruga assomava mais perto, seus olhos de baga fixados nos dois besouros.

Por fim, Marvin alcançou a pedra. Empurrou Elaine para a beirada e tomou fôlego, depois nadou imediatamente para o outro lado, esperando que a tartaruga o seguisse. Não havia esperança de escaparem juntos; demorariam muito para subir e ficar fora do seu alcance.

Afortunadamente, a tartaruga deu uma guinada atrás de Marvin, que disparou para o canto oposto do tanque. Nadando veloz em direção ao canto, Marvin levantou duas pernas para fora d'água e freneticamente tentou subir.

Mas o vidro estava escorregadio demais. Caiu para trás, dentro da água, justo quando a tartaruga desceu sobre ele com suas mandíbulas abertas.

– Marvin! – Elaine gritou.

Marvin esquivou-se rapidamente da boca aberta da tartaruga e lançou-se em seu pescoço. Agarrou-o apertando com todas as suas seis pernas. A tartaruga sacudiu a cabeça para frente e para trás, torcendo-se e contorcendo-se. Marvin apertou mais forte. Então, a tartaruga virou-se outra vez para a pedra, deslizando rapidamente pela água.

– Marvin! – Elaine gritou outra vez. – Pule fora!

Marvin sabia que não aguentaria segurar a respiração por muito mais tempo. Assim que a tartaruga se aproximou da pedra, afrouxou seu aperto no pescoço musculoso. Através da água, viu a forma borrada de Elaine, ajoelhada na beira da pedra. Arremessou-se em direção a ela. Por um segundo, o peso da água pareceu capturá-lo. Mas Elaine o agarrou, puxando-o para cima, para o ar aberto.

– Rápido! – Gritou. Juntos arremessaram-se em direção ao vidro escorregadio do aquário. Escutaram a tartaruga chapinhando para sair da água, movendo-se pesadamente sobre a pedra atrás deles.

– Não olhe para trás – Marvin avisou Elaine, puxando-a com ele para o vidro. Freneticamente, escalaram-no.

Segundos mais tarde, estavam trepados na beira do aquário, completamente fora do alcance. Passaram para o outro lado e meio deslizaram, meio caíram em um lugar seguro.

– Oh, Marvin! – Elaine deixou sair um longo suspiro quando caíram no chão. – Essa foi por pouco! Acho que salvei sua vida lá atrás.

– Salvou MINHA vida?

– Quando puxei você para a pedra.

– E quando você caiu no tanque? – Marvin perguntou.

– Ah, eu sei! Quase morri de medo. Quem teria imaginado que essa velha tartaruga fosse tão rápida? Teremos que ter mais cuidado da próxima vez.

– Próxima vez? – Marvin a encarou.

– Você sabe o que quero dizer – Elaine disse, mudando de assunto. – Vamos, rápido. Já é meio-dia.

Correram e atravessaram a mesa do aquário em direção às janelas, onde o vaso comprido cheio de ervas saudava a luz do sol. Marvin sentiu o cheiro agudo da hortelã, e viu ao longe Mama desamarrando a cesta amarela e espalhando a comida do piquenique em uma folha caída de manjericão. Ele e Elaine apressaram-se, passando pelos ramos ondulados de orégano e endro, em direção a seus pais.

– Aí estão vocês – disse Mama. – Estava começando a me preocupar.

Tio Albert sorriu para eles.

– Eu disse a ela, "O que pode acontecer no meio de um

punhado de plantas? Não tem nenhum ser humano por aqui."

Marvin e Elaine trocaram olhares envergonhados.

– Desculpa – disse Marvin.

– Estávamos nos divertindo tanto que não vimos a hora – Elaine acrescentou, alegre.

– Ah, está bem – respondeu Mama. – Foi exatamente para isso que viemos aqui hoje, para vocês dois poderem relaxar. Especialmente você, Marvin.

Marvin secretamente fez uma careta para Elaine, mas ela só deu de ombros.

– Estou morrendo de fome – Papa declarou. – Vamos comer!

E com isso, os seis besouros se juntaram em volta do banquete – uma festa no meio do dia de pedaços estilhaçados de biscoitos, amoras, sementes de abóbora, farelos de bolo, uma lasca de chocolate meio amargo e salada fresca de orégano – e curtiram seu piquenique à sombra das ervas aromáticas.

■ ■ ■

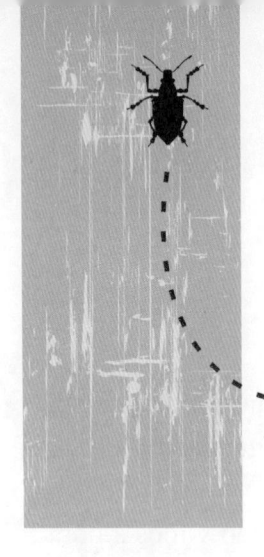

19 - O Problema de James

Por dois dias, Marvin se preocupou com o que fazer na tarde de quarta-feira. Mama e Papa tinham deixado sua posição muito clara: não haveria mais excursões ao Met, nem desenhos.

– Agora, é um problema de James – disse Papa. – Ele é um garoto inteligente. Vai imaginar uma solução.

– Sei que é importante para você, querido – Mama acrescentou, consoladora, mas você não pode correr o risco. Isso afeta todos nós.

Marvin não disse nada, queixando-se em silêncio e esperando que alguma solução brilhante lhe ocorresse antes que Karl chegasse às quatro horas da quarta.

Às três horas da quarta-feira, nenhuma solução assim havia aparecido, e Marvin nem mesmo vira James desde a segunda.

– Quero ir ao quarto de James – disse a seus pais. – Ainda que não possa ajudá-lo, tenho que ver o que vai acontecer.

Mama e Papa se entreolharam em dúvida.

– Não acho uma boa ideia, Marvin. Só vai ser mais difícil para você – Papa disse.

– Mas, e James? Ele não vai entender. Ele acha que vou voltar.

Mama balançou a cabeça.

– Marvin, querido, não há maneira de você explicar isso a James. Seu pai tem razão. Ele vai inventar uma solução por conta própria.

– Mama, por favor! – Marvin sentiu vontade de chorar. Só conseguia pensar em James, aprontando-se animado para o Met, certo de que Marvin estaria a seu lado.

– Não posso simplesmente não aparecer – implorou.

Mama suspirou.

– Mama, somos amigos.

Sua mãe olhou para ele por um longo minuto.

– Está bem – disse, finalmente -, mas vou com você.

Juntos, saíram do armário e correram pelo piso da cozinha. William estava dentro de um balanço de tela, armado na soleira da porta, indo loucamente de um lado para o outro da moldura da porta, seus pés intermitentemente batendo no chão.

– Cuidado – Mama avisou quando passaram traiçoeiramente perto de suas gordas pernas que batiam.

– Iiiiiiiiii! – gritava William. Um fio comprido de saliva pendurava-se em seu queixo.

Ao passarem correndo pelo corredor, escutaram vozes na sala de estar.

A Sra. Pompaday anunciou, aborrecida.

– Claro que não está pronto. Você disse quatro horas, Karl. Foi isso que planejamos.

James gritou, nervoso, de seu quarto.

145

– Está bem, papai. Só preciso de mais uns minutinhos.

Marvin olhou para sua mãe. Karl já estava aqui? James devia estar em pânico.

– Sem problema – disse Karl, de boa paz. – Não pretendi interromper nada. Terminei cedo hoje e pensei que se fôssemos mais cedo para o Met, isso daria mais tempo a James.

– Mais tempo para quê? – perguntou a Sra. Pompaday. – A aula de arte não é às quatro e meia? Foi isso que você disse.

– Sim, é verdade – Karl disse, sem problemas. – Não tem importância. Estou pronto quando você estiver, James.

Marvin e sua mãe passaram por baixo da porta de James e esperaram na beirada do tapete, escondidos pela franja de algodão. O garoto estava sentado curvado em frente à escrivaninha, a cabeça nas mãos. Escutaram-no falar consigo mesmo, sua voz um murmúrio.

– Oh, onde está você? Onde está você, carinha? – Seus ombros sacudiam-se. – Há *dias* que não vejo você! O que vou fazer se você não vier?

Marvin olhou para sua mãe, horrorizado.

– Mama, ele está *chorando*.

Mama franziu a testa.

– Bom, é verdade que ele está perturbado. Mas vai se controlar, você vai ver.

– James? Quase pronto? – A voz de Karl ecoou ao longe, vindo da sala de estar.

James olhou ao redor, os olhos molhados, as bochechas vermelhas. Limpou o nariz furiosamente com as costas das mãos.

– Sim, papai, só... um segundinho.

Levantou-se devagar e pegou sua jaqueta da maçaneta da porta do armário.

– Não entendo – murmurou, mordendo os lábios. – Por que você não veio?

– Mama – Marvin exclamou. – Ele não pode fazer isso sozinho!

Mama balançou a cabeça com firmeza.

– Marvin, nós já discutimos isso.

– Mas James é meu amigo.

– Querido, ele é humano! Não pode ser seu amigo. Vocês são de mundos diferentes. Poxa, vocês nem podem se comunicar um com o outro.

– Mas podemos, Mama! Podemos! Não falando... mas de outra maneira. E além disso, não é só isso que importa. – Marvin gemeu de frustração. Por que Mama não entendia? As coisas mais importantes em uma amizade não precisavam ser ditas em voz alta.

James pôs a jaqueta e olhou desesperado pelo quarto.

– Sei que você estaria aqui se pudesse – sussurrou para o ar. – Espero que nada tenha lhe acontecido.

– Mama! – Marvin estava fora de si. – Olha para ele!

O garoto pegou seu tinteiro, girando o estojo azul marinho da pena na mão. Marvin podia ver as três letras douradas no topo.

– Eu não posso desenhar, não como você. Não posso fazer isso sozinho.

Marvin imaginou James sozinho no escritório de Christina, de frente para o papel vazio e o minúsculo e perfeito desenho de Dürer. Olhou fixamente para James, seu rosto pálido, preocupado, a caída triste de seus ombros. Pensou na desastrosa festa de aniversário do sábado, os garotos barulhentos, indiferentes, a brava Sra. Pompaday, que sempre parecia vagamente irritada com seu filho.

Pessoas como James não eram tratadas com justiça pelo mundo, Marvin pensou. Os quietos nunca eram. Estavam destinados a ser empurrados, maltratados e esquecidos porque não sabiam como fazer valer seu próprio espaço, insistir em ter sua parte.

E agora James estava prestes a perder a única coisa que, por fim, havia lhe dado a atenção que merecia.

Não, pensou Marvin. Olhou para o garoto, e enviou todo peso de seu afeto e lealdade, pulsando pelo ar entre eles. *Você não está sozinho*, pensou. *Estou com você!*

Assim que pensou isso, Marvin soube que era verdade. Virou-se para Mama, subitamente determinado.

– Mama, ele precisa de mim. Não posso decepcioná-lo. Você e Papa sempre me dizem para ser um bom amigo.

– Claro que dizemos, querido, mas...

– Um bom amigo é alguém com quem você pode contar. Não importa o quê.

Viu James tomar fôlego, arrumar os ombros e se dirigir para a porta.

– Vou com ele, Mama. Tenho que ir. Ele não pode fazer isso sem mim.

– Marvin! – Mama protestou, porém Marvin já estava saindo rápido da pesada franja do tapete. Correu subindo na porta até a maçaneta, onde se posicionou para ser visto.

– Oh, querido! – exclamou sua mãe.

James parou de chofre.

149

– Ei! VOCÊ ESTÁ AQUI! – gritou.

A porta se abriu.

– Pelo amor de Deus, com quem você está falando, James? – perguntou a Sra. Pompaday.

James cautelosamente pegou na maçaneta, sua mão quase tocando Marvin. Marvin subiu pelo dedo dele e rapidamente se enfiou debaixo do punho de sua jaqueta.

– Ninguém – resmungou James.

– Bem, não faça isso, querido. É esquisito.

Pousando sua mão na armação da porta, Karl piscou para James.

– Vamos, companheiro. Pegou o estojo?

– Sim, papai. Estou pronto.

– Tenha cuidado! – Marvin escutou sua mãe gritar lá de baixo.

Pôs a cabeça para fora do punho e acenou para ela para mostrar que tinha escutado. Podia ver o sorriso largo de James enquanto ele e seu pai caminhavam pelo apartamento em direção ao elevador, e depois saindo do prédio para a tarde cinza de inverno.

■ ■ ■

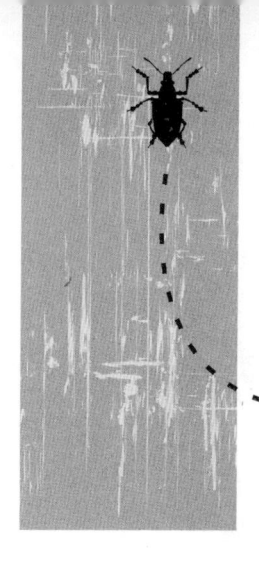

20 - A Arte da Falsificação

Quando encontraram Christina em seu escritório, ela os cumprimentou com grande entusiasmo.

– Aqui estão vocês! Fiquei pensando nisso o dia todo.

Deu um rápido tapinha no ombro de James e abriu-lhe um sorriso.

– Ainda não consigo acreditar na minha sorte de encontrar você, James.

James sorriu, tímido, olhando para seus tênis.

– Ah, eu sei – Christina riu. – Estou deixando você constrangido. Faço isso com minhas sobrinhas o tempo todo.

Karl se aproximou da escrivaninha dela.

– São as garotas dessa foto?

– Humm? Ah, sim... as filhas da minha irmã, Katie e Eleanor. – Olhou para a foto, os olhos irradiando afeto.

Marvin rapidamente subiu até a gola de James, para olhar melhor a foto. Gostava da expressão relaxada do rosto de Christina, o modo como os braços dela se curvavam confortavelmente em torno das meninas. Parecia diferente na foto – sem defesa. Lembrou-se de escutar Karl dizer a James uma vez que era difícil para as pessoas saberem como realmente pareciam. Os reflexos nos espelhos não eram acurados, disse Karl, porque quando você se olha no espelho, subconscientemente compõe seu rosto de uma maneira que não é sua expressão natural.

Marvin se perguntou se isso seria verdade também quando você estava com estranhos. Talvez você só parecesse verdadeiramente com você entre as pessoas que amava. E talvez esse fosse um rosto que você dificilmente conseguisse ver, exceto em fotos como essa.

Karl levantou a moldura.

– A menor se parece muito com você.

Christina sorriu.

– Não parece? E Eleanor é a imagem escarrada do marido de minha irmã. Você já reparou como isso acontece às vezes?

Os genes dos pais parecem se separar e os filhos se parecem com um ou com o outro. Eu digo à Lily que ela me salvou do trabalho de ter filhos.

Karl mexeu nos cabelos de James.

– Bem, não é muito trabalho, na verdade.

– Ah, eu não quis dizer isso – Christina falou rapidamente, olhando para James. – De qualquer maneira, é o tipo de trabalho que eu adoraria.

Christina pareceu ficar tímida de repente, abaixando a cabeça para focar em uma pilha de papel na escrivaninha.

– Muito bem. Essa foi Denny quem trouxe. São páginas em branco de manuscritos antigos do século XVI. Esse é o truque das falsificações. Tudo tem de ter a data certa e exibir os sinais corretos da passagem do tempo.

Karl franziu a testa.

– Mas eu pensei que você disse que não precisava ser uma cópia exata... já que não precisaria convencer um colecionador, só alguns ladrões de arte do mundo do crime.

– É verdade – Christina virou-se para James, tranquilizadora. – Seu desenho passará como verdadeiro, James. Tenho certeza. Mas não queremos que nada na superfície seja um risco.

Gentilmente, levantou as folhas e colocou-as na mesa, tirando a capa de cima. As folhas eram amareladas e esfarrapadas nas beiradas, marcadas com descolorações e manchas estranhas. Marvin achou que deixavam ver cada fração de seus quinhentos anos.

– Os melhores falsificadores são meticulosos em relação ao material que usam – Christina continuou. – Usam papel antigo, tirados de livros ou manuscritos do período. Conseguem as tonalidades históricas da tinta. "Envelhecem" o trabalho com lágrimas e nódoas. Não há uma evidência maior de uma falsificação do que uma imagem que é demasiada perfeita.

Karl concordou.

– Uma coisa real tem falhas.

– Exatamente. E no mundo da arte, por incrível que pareça, as falhas são o que mostram seu valor.

James olhou para as folhas na mesa.

– Mas e o meu conjunto de pena e tinteiro? Não é antigo. Podemos usar isso?

Nós, pensou Marvin, flexionando suas pernas dianteiras. Uma vibração de expectativa o atravessou.

– Se o desenho tivesse que passar pela inspeção de um especialista, não. Mas James, você é capaz de fazer linhas tão delicadas com essa sua pena! Tão parecidas com as de Dürer.

– E a tinta? – perguntou Karl.

– A tinta tem que ser marrom, como no desenho original. Estive trabalhando nisso nos últimos dois dias. Tenho uma amostra para experimentar. James, talvez seja necessário que você faça mais de um desenho para ficar como deve. Tudo bem?

James assentiu.

– Tudo bem, então. – Christina olhou para a grande mesa de madeira. – Vamos acomodar você aqui. O museu fecha logo, e então Denny vai lhe trazer o original de *Fortaleza*.

– O verdadeiro? – James se virou para seu pai, parecendo preocupado.

Karl ergueu as sobrancelhas.

– Você pode fazer isso? Simplesmente tirá-lo da parede? Não tem nenhum sistema de alarme?

– Não durante o dia. Só os guardas. Nós movemos as obras de arte o tempo todo – respondeu Christina. Ela torceu uma mecha de cabelos, observando James. – O que é, James? Está nervoso?

Marvin olhou para o rosto pálido de James. Ele estava mordendo o lábio.

Christina pôs a mão no ombro dele, e Marvin mergulhou para se esconder debaixo da gola da jaqueta.

– Não se preocupe – ela disse, tranquilizadora. – O desenho está protegido por um vidro, você não pode causar nenhum dano a ele.

Espero que não, pensou Marvin. Estava tremendo de excitação. Ia poder ver bem de perto, finalmente, o desenho verdadeiro!

– Está bem – disse James, em voz baixa.

Christina apertou seu braço.

– Vou ver Denny – ela disse. – E buscar a tinta.

Assim que ela saiu, James olhou para seu pai.

– E se eu quebrá-lo? Ou derramar tinta nele?

Marvin se encolheu, pensando em quantas vezes a Sra. Pompaday chamava a atenção de James para não derramar nada.

Karl riu.

– Isso não vai acontecer, companheiro. Está em uma moldura, debaixo do vidro. Com certeza está seguro.

– Mas, pai, ele é... é como... uma obra-prima, não é?

Karl pensou um pouco.

– Bem, não é a *Mona Lisa*. Não é a Capela Sistina.

James olhou para seu pai, confuso.

– O que faz dessas uma obra-prima, e o desenho não?

Marvin sentiu-se compelido a rastejar um pouco para fora da gola de James para escutar a resposta.

– Eu não disse isso. Uma obra-prima é um grande trabalho de arte. É o melhor da obra de um artista, algo único. – Karl coçou a barba. – Mas, algumas vezes, as pessoas não reconhecem uma obra-prima durante muitos e muitos anos... até muito depois da morte do artista. – Hesitou. – Pode ser difícil dizer o que faz um trabalho se sobressair aos outros. O que faz a *Mona Lisa* tão especial? Em um determinado nível, é apenas o quadro de uma mulher sorrindo.

James encolheu os ombros.

– *É* apenas o quadro de uma mulher sorrindo.

– Mas em outro nível, é muito mais – disse seu pai. – Está cheio de segredos. Está orgulhosa? Triste? Flertando? Apaixonada? Olhe para o quadro o tempo suficiente e você pode chegar a sua própria resposta, mas é um quadro que pode ser visto de centenas de maneiras diferentes. – Sorriu um pouco. – Por esse critério, *Fortaleza* poderia ser uma obra-prima, acho... uma obra-prima minúscula.

– É sim – disse James, satisfeito. Marvin engoliu em seco, pensando em como ia se sentir copiando uma obra-prima. Ou tentando copiar uma obra-prima.

Não muito depois da conversa de Karl e James, Christina apareceu com Denny, que estava carregando alguma coisa embrulhada em um grande pano branco.

Os olhos de Denny brilhavam.

– Olá, amigos – cumprimentou-os. – E agora, o que vocês estavam esperando...

Com cuidado, tirou o pano e colocou *Fortaleza* no meio da mesa.

Marvin adiantou-se um pouco para ver melhor. Prendeu a respiração.

As linhas eram tão firmes e finas e perfeitas como se lembrava. A moça segurava o leão sem medo. O leão erguia-se nos braços dela.

A voz de James foi quase apenas um sussurro.

– Ele vale muito dinheiro?

Christina assentiu.

– Pagamos perto de setecentos mil dólares pela *Justiça*. As *Virtudes* de Dürer datam do começo dos anos 1500, o que as faz muito raras e mesmo mais valiosas do que a maior parte dos desenhos dos antigos mestres.

Denny concordou. Seus dedos na moldura do desenho.

— O Museu Getty teve muita sorte de conseguir este desenho. O tamanho pequeno. A condição excelente. O detalhe, que é realmente primoroso. Mais de mil desenhos de Dürer sobreviveram, mas suas *Virtudes* estão em uma categoria própria. Tem romance nelas.

James ergueu os olhos para ele.

— O que você quer dizer?

— Bem, justiça, por exemplo. É um ideal universal. Civilizações dependem dela. Guerras foram travadas por ela, e pessoas morreram por ela... ou por sua falta.

Christina pegou o empoeirado volume das gravuras de Dürer e folheou-as rapidamente.

— Tem uma citação maravilhosa de Plutarco. Sabe quem é ele, James? Um filósofo e historiador da Grécia antiga. — Examinou as páginas. — Aqui: "Justiça é a primeira das virtudes, porque se não for apoiado na justiça, o valor não serve para nada; e se todos os homens fossem justos, não haveria necessidade de valor".

— O que é valor? — perguntou James.

— Bravura — disse Karl. — Coragem.

— Ou fortaleza — Denny acrescentou, pensativo. — Assim, Plutarco está dizendo: se todos fossem justos, ninguém precisaria ser bravo.

Christina assentiu.

— Os gregos consideravam que as quatro virtudes cardeais estavam relacionadas umas com as outras. Era impossível dominar uma sem dominar todas.

Denny sorriu.

— Já Nietzsche, por outro lado — virou-se para James —, um famoso filósofo alemão, achava o oposto. Acreditava que as virtudes eram incompatíveis. Disse que você não podia ser sábio e corajoso, por exemplo.

Marvin voltou para a sombra da gola de James para pensar nisso. Tinha sido corajoso ao se mostrar para James no começo de toda essa aventura, depois que fizera o desenho. Mas não tinha sido muito sábio, provavelmente. Pensou nos quatro desenhos de Dürer: *Justiça*, *Fortaleza*, *Temperança*, *Prudência*. Se você tivesse que escolher uma virtude, qual seria a mais importante? É melhor ser sábio ou corajoso? Razoável ou justo? Marvin achou que a resposta para essa questão talvez dependesse da situação.

– Você está pronto, James? – Denny perguntou. Passou os dedos pelos seus cabelos grisalhos e sorriu, encorajador.

– Acho que sim – disse James. Marvin achou que ele não parecia pronto de jeito nenhum. Karl caminhou em volta da mesa para ficar de pé ao lado dele, estudando o desenho.

– Não se preocupe, James – disse Christina. – É mais importante ficar tranquilo do que fazer uma cópia exata. A chave para uma boa falsificação é esse sentido de facilidade... fazer as linhas suaves e fluidas, sem vacilações. Entende o que estou querendo dizer?

Curvou-se ao lado de James, e Marvin imediatamente se afundou mais para baixo da gola, lembrando-se da última vez que ela o vira. Podia sentir o cheiro de seu perfume suave, de sabonete, e reparou outra vez em como era bonita, com suas faces macias e cabelos brilhantes.

Denny disse, gentilmente.

– Todo desenho conta uma história. Fala com você.

Juntos, todos olharam para *Fortaleza*. Agarrado no tecido da jaqueta, Marvin notou a tensão no corpo robusto da moça, a maneira como o leão parecia tanto investir quanto recuar ao mesmo tempo.

Um silêncio ofegante se instalou na sala. O barulho do tráfego na hora do *rush* na rua lá fora parecia a quilômetros e quilômetros de distância. Marvin sentiu como se todos estivessem hipnotizados.

Finalmente, Denny falou.

– A pintura de Dürer, às vezes, chega a ser bem fria – comentou, ainda emocionado. – Mas não seus desenhos. Seus desenhos são cheios de humanidade.

Christina fez uma pausa.

– Mas sempre há alguma coisa se controlando. É quase como se ele não suportasse expor sua imaginação terna.

Marvin entendeu esse sentimento. Era como se, em seus temas, Dürer visse alguma coisa insuportavelmente frágil e bonita, e tivesse que endurecer para proteger isso do mundo insensível.

Depois de um minuto, Christina voltou-se para James, sua voz animada e gentil.

– Tudo bem, James, demore o tanto que precisar. Voltaremos em uma hora mais ou menos, está bem? Aqui está a tinta marrom. – Empurrou um pequeno tinteiro de vidro pela mesa e com cuidado posicionou umas das folhas de manuscrito perto dele.

– Ah, e deixa eu limpar sua pena. Ela não pode ter nenhum traço da outra tinta. – Abriu o estojo achatado e levantou a pena de James de seu suporte de apoio, mostrando para Denny uma garrafa de fluido claro em sua escrivaninha.

– Por favor, Denny, pode me passar?

Christina despejou a solução em um lenço e passou pela

ponta de metal da pena. Depois, colocou-a de volta ao estojo, virando com expectativa para James.

– Tudo certo?

Karl curvou-se para abraçá-lo.

– O que você diz, companheiro? Tudo pronto?

– Sim – James respondeu. Desta vez, Marvin reparou que sua voz não vacilou.

– Bom rapaz – Denny declarou.

E com isso, os três adultos saíram da sala.

■ ■ ■

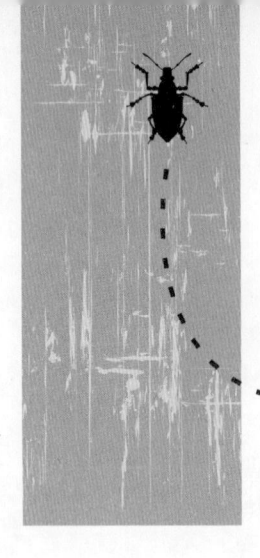

21 - Mais do que uma Cópia

Quando saíram, James imediatamente enrolou a manga de sua jaqueta, procurando Marvin. Ao não encontrá-lo, procurou debaixo da gola.

– Aí está você, carinha – disse, aliviado. – Acha que vai dar conta de fazer isso? O desenho verdadeiro está bem aqui. Olha.

Ele tirou Marvin de seu poleiro de náilon e cautelosamente abaixou-o até a mesa.

Marvin rastejou até a moldura, subindo no vidro do original. Memorizou a maneira como as duas figuras se inclinavam uma para a outra, a forma que deixavam na página. Ele se lembrou do que Karl e Christina haviam dito do seu desenho anterior. Que a imagem estava espremida demais. Faria melhor desta vez.

– Você escutou o que Christina disse sobre aquele cara, o Dürer? – James perguntou. – Tudo aquilo sobre o modo como desenhava? Talvez isso o ajude a fazer seu desenho ficar mais parecido com o dele, sabe?

Sacudiu o tinteiro, depois desatarraxou a tampa e a colocou perto da folha em branco. Dentro, havia uma poça cor de lama lustrosa, com lampejos de ouro avermelhado.

Marvin respirou fundo. Foi até a beirada da tampa. Mergulhou suas pernas dianteiras na tinta, depois, lentamente, voltou à folha do manuscrito e começou a desenhar.

Parecia que o tempo tinha parado. Marvin estava tão focado em seu trabalho que perdeu o sentido de tudo a sua volta, inclusive James. As paredes do cômodo pareceram sumir. A mesa tinha ido embora. Só havia a folha e a tinta, e *Fortaleza*.

Trabalhava rapidamente, dando pinceladas fluidas, delicadas. A moça tomou forma na frente dele, com suas costas fortes, seus braços musculosos. O leão colidia com ela em uma massa vigorosa e raivosa.

Marvin movia-se para frente e para trás, entre o original e seu próprio desenho, verificando proporções e examinando os melhores detalhes: o remate de renda da veste da moça, a pluma do rabo do leão. O centro do papel floria em um denso traçado cruzado de delicadas linhas marrons.

James não dizia nada, observando de olhos arregalados, bem pertinho.

Marvin desenhava e desenhava. Seus olhos queimavam pela concentração no desenho, suas pernas doíam.

– Já faz uma hora – James sussurrou a certa altura. – Eles logo vão chegar.

Por fim, exausto, Marvin limpou seus pés dianteiros e desmoronou na beira do papel para examinar sua obra.

– Oh! – exclamou James.

Seu rosto se abriu em um enorme e admirado sorriso.

– Você deu conta.

Marvin olhou seu desenho. Era minúsculo e lindo, explodindo com energia e vida. Em cada contorno, no mínimo detalhe, era *Fortaleza*.

Em seu coração, sabia que não conseguiria fazer melhor. Só esperava que fosse bom o suficiente.

Houve uma batida calma na porta.

– James?

Escutaram Christina no corredor. James olhou interrogativamente para Marvin. Marvin correu pela mesa e para o punho de James, enfiando-se sob sua manga.

– Eu... hum, terminei – chamou James.

Christina, Denny e Karl entraram devagar na sala.

Caminharam em silêncio até a mesa e cercaram James, olhando para o desenho de Marvin. Por um momento, a sala ficou tão parada que parecia ter se congelado.

Christina falou primeiro.

– Vocês sabem o que Dürer disse? – perguntou, e Marvin podia sentir a emoção de sua voz. – *"O tesouro guardado secretamente em seu coração se tornará evidente através de seu trabalho criativo."* – Fez uma pausa. – Este desenho é lindo, James. É mais do que uma cópia. Você fez dele um Dürer, mas também seu.

Embaixo da manga da jaqueta, Marvin estremeceu de alegria.

– É impressionante – disse Denny, balançando a cabeça. –

Realmente impressionante. Não acreditaria que fosse possível se não tivesse visto com meus próprios olhos.

– Está escutando isso, companheiro? – Karl jogou sua cabeça para trás e riu, como se a felicidade estivesse borbulhando dentro dele e se forçando a sair. – Você agora está fazendo sucesso com os especialistas. Eu chamaria *isso* de uma obra-prima.

James corou profundamente, rosa brilhante, mordendo seu lábio. Virou-se para Christina.

– Você acha que as outras pessoas vão acreditar que é o desenho verdadeiro? – perguntou.

– Eu não acho – Christina disse firmemente. – Eu sei que vão.

– E agora, o que fazemos? – perguntou Karl.

– Vocês não farão nada – disse Christina, sorrindo para ele. – Mas eu tenho muita coisa a fazer. Tenho que arrumar um roubo.

Os olhos de Karl piscaram para James.

– Algo me diz que uma obra-prima está prestes a ser roubada.

■ ■ ■

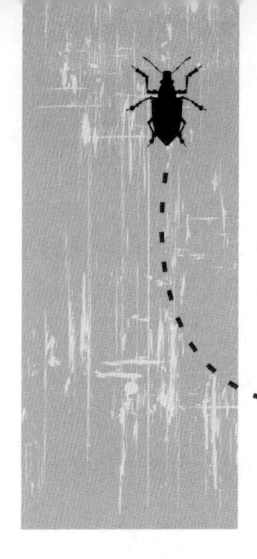

22 - A Briga

Christina disse que levaria pelo menos uma semana para concluir os detalhes do roubo. Havia conseguido autorizações com o diretor do museu, a unidade de arte roubada do FBI e a polícia da cidade de Nova York – "Foi preciso muita argumentação, isso posso lhes dizer", contou –, mas ainda havia alguns detalhes a serem resolvidos. Denny estava trabalhando para conseguir a autorização do Getty, ainda que a verdadeira *Fortaleza* não estivesse em risco.

– Nada acontecerá até a próxima semana, no mínimo – Christina disse a James quando ele e Karl se preparavam para ir embora. Marvin olhava com saudades para seu desenho acabado. E se nunca mais o visse?

James parecia estar pensando a mesma coisa. Virou-se para Karl e puxou a camisa do pai.

– E se alguma coisa sair errada e nunca mais recuperarmos o desenho? – perguntou.

Karl olhou para Christina.

— Bom...

— Há sempre esse perigo – disse, sobriamente. Agachou-se perto de James e pegou sua mão. Seus dedos finos estavam tão pertos de Marvin que podia tocar neles se quisesse. Christina tinha lindas mãos, pensou: graciosas, mas competentes, o tipo que parecia igualmente capaz de pintar um quadro ou usar um martelo.

— Sinto muito, James. Gostaria de poder prometer que seu desenho ficará a salvo, mas não posso.

James ficou em silêncio por um minuto.

— Então, quero voltar e vê-lo mais uma vez – disse com firmeza.

Marvin sentiu uma onda de alívio. Talvez não tivesse ainda que dizer adeus à *Fortaleza*. Denny olhou para James, surpreso, mas Christina assentiu, compreensiva.

— Claro. Ele ficará aqui no meu escritório até a próxima semana. Por que vocês não passam na quinta ou na sexta?

— Podemos, papai? Por favor?

Karl hesitou.

— Terei que pedir a sua mãe, James. Por mim, está bem, mas não sei quais são os planos dela.

James mordeu o lábio, ansioso.

— Espero que ela deixe.

Quando voltaram ao apartamento dos Pompadays, o Sr. Pompaday escancarou a porta antes mesmo que batessem.

— Karl – disse friamente, inclinando a cabeça, depois fazendo um gesto para James entrar. – Sua mãe está esperando você. Ela tem algo a lhe dizer. – A voz dele estalava de excitação, o que era um tom tão pouco usual para o Sr. Pompaday que Marvin emergiu da manga da jaqueta de James, querendo saber o que poderia ter acontecido.

– Ah – James disse, parecendo confuso. – Papai queria perguntar a ela...

Karl balançou rapidamente a cabeça para James.

– Outra hora, companheiro. Telefono para ela amanhã.

Curvou e puxou James contra ele, beijando-o com afeto.

– Você fez um excelente trabalho hoje. Um excelente trabalho!

– Obrigado – James disse, tímido.

Karl tirou o estojo de desenho debaixo do seu braço e levantou a tampa.

– Vou limpar aquela tinta marrom para você...

Ele tirou a pena de seu suporte e parou.

Marvin gelou. Não havia tinta marrom na pena, é claro. A pena nunca fora enfiada no tinteiro de Christina.

Por que eles não haviam pensado nisso? Marvin gemeu por dentro. Teria sido tão fácil fazer isso. Mas, ao contrário, a ponta de prata estava luminosamente livre de tinta, pela limpeza meticulosa feita por Christina horas antes.

– Hum, está bem – James disse, rapidamente, tomando a pena de Karl. – Eu já a limpei antes.

Karl olhou para ele, estranhando.

– Mas como...

– Quando estávamos no museu – disse James. Enfiou a pena de volta na caixa e abaixou a tampa.

O Sr. Pompaday murmurou impaciente.

– Bom, se é só isso, Karl, é melhor se despedir. A mãe de James...

– Claro – disse Karl, examinando James com uma

expressão interrogadora no rosto. – Falo com você amanhã, James. – Começou a ir embora, depois disse calmo – Amo você, companheiro.

– Eu também amo você, papai – James respondeu, sem olhar para cima.

O Sr. Pompaday fechou a porta com um baque e levou James para a sala de estar. Ali, à luz suave do abajur, a Sra. Pompaday estava empoleirada em uma cadeira perto da mesa de mogno para jogos com o primeiro desenho de Marvin – a pequena cena da rua – cuidadosamente posicionado a sua frente.

– Ah, finalmente você está de volta! – Exclamou, batendo as mãos como pratos. – James, a coisa mais maravilhosa! Convidei os Mortons para vir ver seu lindo desenho, e o que você acha? Eles querem COMPRÁ-LO!

Os olhos de James se arregalaram.

– Verdade? – perguntou.

Ela correu para ele e pegou seu braço, puxando-o para a mesa.

– Quanto você acha que eles pagarão, James? Quanto?

Mas você não vai vendê-lo, não é? pensou Marvin. *Eu fiz para você.*

James olhou para o desenho.

– Eles pagarão com dinheiro?

– Disse-lhes que teria de ver com você. Mas, James, esta pode ser sua primeira venda como um artista! Um verdadeiro artista! Pense nisso.

– Em pouco tempo, você vai ganhar mais do que aquele seu pai – acrescentou o Sr. Pompaday, rindo. – Nunca pensei na arte como uma profissão lucrativa, mas talvez você possa fazer alguma coisa com esses pequenos quadros seus.

Marvin rastejou um pouco para frente, tentando ver o rosto de James. *Foi um presente de aniversário*, pensou.

James corou, seus olhos refletindo a alegria impaciente dos pais.

– Quanto? – perguntou.

– Ah, quero que você adivinhe! – a mãe cocoricou. – Não, deixa pra lá, você nunca será capaz de adivinhar. É muita coisa... QUATRO MIL DÓLARES.

Com a expressão chocada de James, bateu palmas outra vez.

– Eu sei, eu sei! Eu nunca teria pensado nesse preço, eu mesma, mas acontece que eles estavam procurando uma miniatura para o lavabo da casa deles, e esse é perfeito.

Para o lavabo? Marvin se virou para James, atônito. D*iga não*, pensou. *Diga que não vai vendê-lo.*

Mas James sorriu – um sorriso grande e lento de assombro – e disse,

– Quatro mil dólares! Isso é incrível! Ninguém da escola vai acreditar!

– Então, posso dizer a eles que sim?

Quando James assentiu, a Sra. Pompaday agarrou-o outra vez em um abraço de estrépitos de braceletes.

– Oh, James! Estou tão orgulhosa de você. Veja em que você se transformou!

Marvin se enfiou mais para o fundo da manga da jaqueta de James, desgostoso. Humanos! Dinheiro era a única coisa que importava para eles. Não a beleza. Não a amizade.

Através do tecido grosso, podia escutar as vozes abafadas dos Pompadays: o Sr. Pompaday ainda rindo feliz com a oferta dos Mortons, a Sra. Pompaday agora apressando James para tirar sua jaqueta e vir para a cozinha jantar.

— Tenho que guardar minhas coisas – James disse. Foi pelo corredor até seu quarto, fechando a porta atrás. Imediatamente, tirou sua jaqueta e procurou Marvin no seu braço.

Marvin não suportaria olhar para ele. Assim que James levantou seu pulso, Marvin rastejou para baixo. Quando James virou seu braço, rastejou outra vez para o outro lado, fora da vista.

— O que está acontecendo com você? – James perguntou. – Você quer descer? – Apoiou sua mão na escrivaninha e Marvin imediatamente disparou por ela, em direção à parede.

— Ei! Onde você vai, carinha? – James pôs sua mão na

frente de Marvin, bloqueando seu caminho. – Você tem que ir para casa? Posso te levar, como da última vez. Será muito mais rápido. Sobe.

Furioso, Marvin desviou da palma aberta do menino e continuou para a parede. Não queria nada com James.

– O que foi? – James persistiu. – Qual é o problema? – Dessa vez, colocou sua mão gentilmente sobre Marvin e o levantou, trazendo-o para bem perto de seu rosto. Olhou para ele com os olhos cinzas, preocupados.

A esta altura, Marvin estava fervendo, não apenas pela venda insensível de seu desenho, mas pela indignidade de ser tão facilmente impedido quando estava tentando sair ofendido. Voltou seu traseiro para James, juntou as pernas por baixo e virou um pequeno monte preto imóvel. (Essa manobra de fingir de morto era uma estratégia comum dos besouros face a um perigo iminente. Marvin nunca a usara antes para mostrar sua raiva, mas estava começando a perceber que a comunicação com os humanos exigia uma grande medida de criatividade.)

– Você está zangado comigo – disse James.

Marvin não se mexeu.

– Mas por quê? – James parecia genuinamente perplexo. – Tudo foi bem no museu. Você foi ótimo. Você foi mesmo incrível. A maneira como copiou aquele desenho... você é como um besouro gênio, sabia disso?

Marvin estava determinado a não responder.

– Qual é o problema? – James perguntou. Ficou quieto por um minuto. – É seu desenho da rua, não é? Você não quer que eu o venda. – Respirou fundo e mergulhou na cadeira de sua escrivaninha. – Também não quero vendê-lo – disse gentilmente.

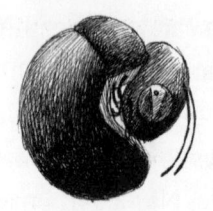

Marvin permaneceu em sua trouxa apertada, tentando não escutar.

– Você sabe disso, certo? – James insistiu. – Amo aquele desenho que você fez para mim. Foi o melhor presente de aniversário que já ganhei na vida. – Suspirou. – Mas é que... você provavelmente não pode entender isso, mas minha mãe... ela é...

James colocou Marvin no topo da escrivaninha, fazendo-o rolar levemente por sua palma.

– Pode ir, se quiser. Eu não quis impedir você.

Marvin lentamente endireitou suas pernas, mas permaneceu onde estava.

James continuou falando.

– A coisa é que ela está tão orgulhosa de mim, sabe? Em geral, ela não é assim. E nem é por uma coisa que eu fiz... é por uma coisa que você fez. – Cruzou os braços na escrivaninha e descansou a cabeça neles, seu rosto branco perto de Marvin, sua respiração quente e levemente salgada. – É como se fosse um truque especial que ela pode exibir para suas amigas. Queria – ele vacilou –, queria que ela ficasse orgulhosa de mim por motivos normais... sabe?

Marvin virou-se para olhá-lo. Pensou na Mama e no Papa, que sempre foram ridiculamente orgulhosos dele, mesmo por causas que não mereciam. Era como ser seguido por todo canto por sua claque pessoal de aplausos. Às vezes, isso o aborrecia, mas na maioria das vezes era muito bom saber que seus pais verdadeiramente acreditavam que poderia fazer qualquer coisa, e mesmo assim quase explodiam de orgulho quando fazia. Pensou se James alguma vez se sentiu assim.

James continuava falando, sua voz rouca e baixa.

– Disseram que não foi por culpa minha que se divorciaram. Repetiram isso várias e várias vezes. *Não é culpa sua, nós ainda amamos você, você é a coisa mais importante para nós.* Mas, se eu fosse a coisa mais importante para eles, como não fui importante o suficiente para que ficassem juntos?

Olhou para Marvin e esperou, como se Marvin pudesse realmente saber a resposta. Por fim, disse – Porque, se eles alguma vez tivessem me perguntado, "O que você quer?", isso é o que eu teria dito: todos nós juntos.

Marvin foi até a ponta do cotovelo de James e olhou para ele, não sentindo mais raiva.

Suspirou. Viu que teria que perdoar James pelo desenho. Havia muito mais coisas entre eles.

James respirou fundo outra vez.

– Mas sabe o quê? Se não tivessem se divorciado, não haveria William. Então, William é a única coisa boa que resultou disso.

Marvin encolheu-se, surpreso. Todos os besouros achavam que William era completamente horrível – pegava tudo, era irracional e perigoso. Sabia que James não achava isso, mas nunca havia imaginado que James achava William uma benção. Por mais chocante que fosse, no entanto, era de alguma maneira reconfortante saber que aquele bebê irritante trouxera uma faísca de alegria para a vida de James.

O garoto endireitou-se e esfregou o rosto.

– Não sei por que estou lhe contando isso – disse, timidamente. – Acho que é porque gosto de conversar com você. – Riu. – E sei que você não contará para ninguém.

Estendeu a mão novamente.

– Vamos, vou levar você para sua casa.

Marvin subiu no dedo do menino, e James se dirigiu para a cozinha.

Naquela noite, depois do reboliço de seu retorno, um relatório completo do que acontecera no museu e um bronca séria de Mama sobre os riscos que correra por desobedecê-la, Marvin deitou em sua cama pensando sobre o que James havia dito. No final, chamou sua mãe.

– O que foi, querido? Seu pai e eu estamos saindo para procurar alimentos.

– Não consigo dormir – disse Marvin.

– Bom, não estou surpresa. Você está completamente fora do horário por ter vivido no horário dos humanos esses dias passados. Mas deve estar exausto por causa de sua saída... Qual é o problema?

– Não sei. Eu estava pensando sobre uma coisa que James disse.

Mama sentou-se na beirada da bola de algodão e alisou a carapaça dele.

– O quê? – ela perguntou.

– Sobre seus pais terem se divorciado. – Marvin pensava na conversa no quarto de James. – Por que os besouros jamais se divorciam?

Sua mãe pensou por um momento.

– Bom, nossas vidas são curtas, querido. De que serviria? Temos tão pouco tempo, temos que passá-lo da maneira mais feliz possível.

Afofou a lanugem do algodão mais firme em volta da Marvin.

– E temos muito menos expectativas do que as pessoas. Se passamos o dia sem sermos pisados, com um pouco de comida para encher nossas barrigas, um lugar seguro para deitar por algumas horas e nossa família e amigos por perto... bem, foi um dia bom, não foi? Na verdade, um dia perfeito. Quem pediria mais?

Marvin se aconchegou na cama macia e concordou, sonolento.

– Entendo – disse.

– Também, não temos advogados – a mãe acrescentou, saindo do quarto.

■ ■ ■

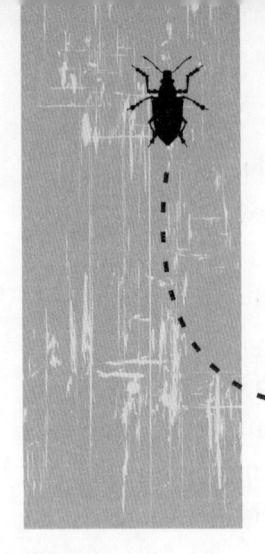

23 - Um Crime Perfeito

A semana seguinte transcorreu sem acontecimentos. Mama e papa estavam encantados vendo Marvin seguro em casa outra vez. Elaine estava se regalando com as histórias do mundo de fora. Os Pompadays, ainda eufóricos com a venda do desenho de James, estavam ocupados com suas atividades normais, embora tivessem passado brevemente pela inconveniência de ver o *timer* do seu micro-ondas parar de funcionar. Por sorte, tio Albert foi capaz de manobrar e passar pelos orifícios no fundo do aparelho para religar um fio solto. Isso solucionou o problema, porém não antes dos Pompadays terem um esquentado bate-boca sobre os aparelhos domésticos estrangeiros, que não mereciam confiança, a falta de habilidade do Sr. Pompaday, e o fato de que se a Sra. Pompaday fosse uma verdadeira cozinheira, não usaria o micro-ondas, afinal. Sua discussão cessou abruptamente quando o *timer* do micro-ondas começou a piscar outra vez e Albert saiu triunfalmente por trás. (Sra. Pompaday, "Ah! Veja, está funcionando agora". Sr. Pompaday, "Está vendo? Eu consertei".)

O próprio James parecia notavelmente mais alegre e confiante. Marvin passou quase todas as tardes no quarto dele, mas não sabia ao certo o que fora responsável pela mudança: o sucesso da cópia de *Fortaleza*? A atenção da Sra. Pompaday a seu novo talento? A excitação pelo roubo pendente? Fosse o que fosse, James estava feliz, o que fazia Marvin feliz também.

Quando chegou sexta-feira, Karl e James, com Marvin a reboque, chegaram ao escritório de Christina exatamente às cinco e meia, como ela havia marcado. Mama e Papa não fizeram um escândalo por Marvin sair do apartamento desta vez, já que Marvin tinha passado a maior parte da semana exaltando a importância de ver seu amado desenho, o que poderia ser a última vez. O roubo tinha sido arranjado para aquela noite, e agora que os planos estavam prontos, tudo parecia estar acontecendo muito rapidamente.

Christina cumprimentou-os animada, os olhos brilhantes. Ao ver James, abaixou-se e o abraçou. Ele pareceu atônito, mas Marvin sabia que estava contente.

– Como vai meu falsificador favorito? – perguntou, sorrindo.

– Bem – disse.

– Pronto para uma última olhada no seu desenho? Agora está pendurado na galeria, bem no lugar onde estava o original, e ninguém suspeitou de nada! Denny me ajudou a fazer a troca na noite passada. Imagine só, James. Durante todo o dia as pessoas ficaram olhando para a miniatura de James Terik pensando que era de Dürer.

James sorriu.

– Verdade?

– Verdade! Quando você olha para os dois desenhos lado

a lado, a semelhança é fantástica. E a moldura e o forro de suporte são idênticos ao original. Denny e eu trabalhamos nisso ontem o dia todo.

– E quanto ao dispositivo rastreador? – perguntou Karl.

– A FBI está cuidando disso – disse Christina. – Mas ontem nos explicaram. O agente deles vai embutir um microchip no forro de cartolina do forro.

– E isso não vai disparar nenhum tipo de alarme? – Karl perguntou. – Quando o desenho for tirado do museu?

Christina balançou a cabeça.

– O microchip só pode ser detectado pelo equipamento de rastreamento do FBI, não por um sistema de segurança normal. E não revistamos os visitantes que saem do museu. Portanto, não deve haver problema. Com a unidade de rastreamento, o FBI será capaz de seguir o desenho pela cidade até...

– Até chegar aos ladrões – Karl terminou por ela.

– Sim! E, esperemos, aos outros desenhos roubados.

Karl coçou a cabeça.

– E se o ladrão levar só o desenho, mas não o forro? Então, você perderia o dispositivo de rastreamento.

Christina franziu os lábios.

– Eu sei. Discutimos bastante isso. É uma das razões pela qual não colocamos o aparelho em nenhuma parte da moldura. Mesmo se o agente do FBI pegasse o desenho como está, é provável que o outro cara se livrasse da moldura para transportá-lo mais facilmente. – Empurrou os óculos firmemente sobre seu nariz. – Mas, na verdade, não tínhamos escolha. O microchip ficaria visível se o colocássemos em qualquer lugar do desenho, porque o papel é velho e frágil. Mas se o colocássemos no forro do suporte... bem, todos ficamos mais confiantes e achamos que os ladrões não o verão. – Olhou para Karl, séria. – Mas você tem razão, é um risco.

Marvin podia ver que James parecia preocupado, e estava começando a sentir um poço sendo cavado em seu próprio estômago.

– Onde está o desenho original? – James perguntou.

Christina sorriu.

– Estava aqui no meu escritório ontem à noite. Não posso te dizer quantas vezes Denny e eu comparamos os dois, para ter certeza de que tudo estava exatamente igual. Depois, embrulhamos o Dürer e o levamos para o cofre do escritório do diretor, por segurança.

– E o cara do FBI que vai levar o desenho de James? – Karl perguntou. – Já está aqui?

Christina olhou para a porta fechada de seu escritório.

– Não, ainda não. Foi um dia maluco. Fiquei tão ocupada com o FBI, que só voltei agora há pouco. Não devo contar os detalhes... – Olhou para eles, desculpando-se por um momento, depois capitulou. – Ah, como posso não contar a vocês dois, quando vocês são os que fizeram tudo isso possível?

Pegou a mão de James e o puxou mais perto, abaixando sua voz.

– Ninguém pode saber nada sobre isso. Você compreende, James? Tudo isso depende que o público e o mundo subterrâneo da arte acreditem que o Dürer verdadeiro foi roubado.

Karl, James e Marvin, todos a olharam atentamente, esperando que continuasse.

Christina hesitou.

– Bom, este é o plano: esta noite ficaremos abertos até tarde, até às nove horas. Cerca de quinze minutos antes de fechar, os guardas examinarão as galerias. Nosso agente da unidade de arte roubada do FBI está com um uniforme de guarda do Met. Ele entrará na galeria com uma bolsa de lona, depois que o público sair.

– Mas os guardas não se conhecem uns aos outros? – perguntou Karl. – Não ficarão surpresos se não o reconhecerem?

Christina balançou a cabeça.

– Não em uma sexta-feira. Nos finais de semana e à noite, temos vários membros substitutos da equipe de segurança, então essa parte não terá problema.

– E então, ele vai só pegar o quadro? – James perguntou. – Direto da parede? – Marvin sentiu a estranha pontada de um presságio.

Christina assentiu.

– Ele vai ter que se certificar de que ninguém está olhando, e terá de ser rápido. A ideia é que coloque o desenho na bolsa e vá imediatamente para o depósito de suprimentos à esquerda, na loja de presentes... Vocês viram a lojinha do segundo andar, bem em frente à exposição dos desenhos? Deixaremos esse depósito destrancado para ele.

– Mas por quê? – perguntou James. – Se ele já está com o desenho, por que não pode sair direto com ele?

– Deixe-a terminar, James – disse Karl, com gentileza. Virou-se para Christina. – Suponho que ninguém pode passar pelos pontos de verificação carregando uma bolsa, mesmo um guarda da segurança.

– É mais seguro não arriscar – concordou. – Então, ele terá uma muda de roupas no depósito, incluindo um casaco azul com um bolso interno – sabe, chato, reforçado, à prova d'água – que é do tamanho exato para que coloque *Fortaleza*. Ele também terá as ferramentas necessárias para tirá-la da moldura e instalar o microchip no forro. Mudará suas roupas, colocará o desenho no bolso interno, deixará o depósito quando tiver certeza que o corredor está vazio, e sairá com o resto das pessoas enquanto o museu é fechado.

Por baixo do punho de James, Marvin via a expressão satisfeita de Christina, como se todo o plano tivesse sido executado sem falhas nos poucos momentos que levou para descrevê-lo.

– Poxa – disse James.

Karl assentiu, pensativo.

– É um crime perfeito. Parece que você pensou em tudo.

Christina franziu a testa levemente.

– Bom, é melhor que tenha mesmo pensado em tudo. Tem muita coisa em jogo. Ele só terá quinze minutos para realizar tudo isso sem despertar suspeita e sem outro guarda notar que o desenho sumiu. Mas se tudo correr como deve, funcionará.

James mexia-se, nervosamente, para frente e para trás, apoiado nos tênis, e Marvin se agarrou a sua jaqueta para não cair.

– Posso vê-lo agora? Meu desenho?

Christina olhou para seu relógio.

– Ah, eu queria ir com você! Não tive chance de ir à galeria durante todo o dia. Mas agora não posso, infelizmente. Denny e eu vamos repassar tudo uma vez mais com o agente do FBI. Vão vocês e aproveitem... e James? – Descansou a mão na cabeça dele e sorriu. – Não se preocupe. Esta não é a última vez que você verá seu maravilhoso desenho. Tenho certeza disso.

James ergueu os olhos para ela, de repente.

– E você? Nós a veremos de novo? – perguntou.

Espantado, Marvin se virou para Christina. James levantara um ponto, ele compreendeu. Todos os preparativos para o falso roubo acabavam agora, portanto não haveria mais motivo para um outro encontro com Christina... não até o desenho de Marvin ser recuperado. Se fosse recuperado.

– Claro que sim, companheiro – Karl disse rápido, parecendo constrangido. – Você nos encontrará para contar o que aconteceu, não é, Christina?

– Ah, claro, com certeza! – Christina tirou uma mecha de cabelo da testa e a enfiou com firmeza atrás da orelha, como se todos os desafios que enfrentariam pudessem ser resolvidos da mesma maneira fácil. – Eu não poderia ter feito nada disso sem vocês. Espero ter alguma coisa para contar nesse final de semana. – Ela sorriu para eles, pesarosa. – Mas tenho que lhes dizer, esse pessoal do FBI não é nada acessível. Não me incluirão em nada! Não posso ver o aparelho de rastreamento deles; não poderei ficar com eles enquanto monitoram o que está acontecendo com o desenho.

Karl riu.

– Bom, isso não é surpresa. Estamos falando do FBI, afinal. O trabalho deles é ser sigiloso.

– Sim, acho que sim. E pelo menos me prometeram dar notícias no final de semana. Quem sabe? Talvez não daqui a muito tempo, terei o prazer de lhes apresentar a própria *Justiça*. – Christina sorriu para eles, depois apressadamente os conduziu até a porta de seu escritório.

– Não podemos ficar muito tempo, está bem, companheiro? – disse Karl, enquanto caminhavam pelo corredor comprido e passavam pela porta oculta na galeria dos desenhos. – Prometi a sua mãe que o entregaria antes das sete, e já são seis horas.

– Está bem – James concordou. – Só quero dar uma olhada, só isso.

À distância, onde a galeria se abria para a escada que levava ao segundo piso, Marvin podia ver o etéreo corredor de mármore, flanqueado de estátuas e os mostruários suavemente iluminados de vasos e tigelas. Multidões de pessoas com casacos de inverno jorravam da entrada da galeria.

A mão de Karl se apoiou no ombro de James.

– Por aqui – disse, e então, ajoelhando-se ao lado de James e apontando para o outro lado da sala: – Olhe!

E lá, exatamente onde antes estava o original, estava *Fortaleza*, os braços curvados da moça vigorosamente segurando o leão. Marvin sentiu uma onda de orgulho. Segurou-se na beira da gola de James, procurando uma visão melhor.

James pegou a mão de seu pai, puxando-o em direção ao desenho.

– Está pendurado ali, com todos os verdadeiros! – sussurrou.

– Bom, realmente parece pertencer ao lugar – Karl sorriu. – Você é o mestre.

Conseguiram passar pela multidão em direção à parede, e pacientemente esperaram que um casal mais velho se afastasse.

– Muito bem, dois minutos, companheiro – Karl disse, baixinho.

James assentiu, olhando para o desenho. Marvin queria subir mais alto para ver melhor, mas havia tantas pessoas em volta que não ousou. Quando estava cada vez mais frustrado com seu ângulo de visão parcialmente encoberto, James levantou o braço até o ombro, fingindo coçar o lado do pescoço. Agradecido, Marvin rapidamente subiu da manga da jaqueta para a gola. Agora, estava quase ao nível do desenho.

Respirou fundo e alegremente, e olhou seu trabalho.

E então seu coração parou.

Esse não era o seu desenho.

Era o de Dürer.

O de Dürer! Marvin soube disso imediatamente. Mas tudo que sentiu foi confusão. Será que tinha entendido mal? Será que eles ainda não haviam trocado os desenhos?

Tinha certeza que estava olhando para o original. Por mais fielmente que tivesse seguido as linhas de Dürer, por mais cuidadosa e reverentemente que tivesse copiado cada volta do cabelo e cada protuberância dos músculos, Marvin sabia que os traços do trabalho em frente a ele não eram os seus. Um desenho era tão pessoal quanto a letra da pessoa. A sua pode parecer semelhante a de outra pessoa – até idêntica aos olhos de um estranho –, mas você sempre poderá reconhecer a sua.

    Marvin saiu debaixo da gola de James. Estava completamente exposto à luz e ao ar, diretamente no raio de visão do público do museu ao redor, mas não podia controlar a si mesmo. Esse era o original, tão digno e melancólico e completamente de Dürer, como sempre tinha sido.

Seus pensamentos correram. Por que o desenho de Dürer estava pendurado ali em vez da cópia? Onde estava o seu próprio desenho? Agarrou-se na jaqueta de James, tentando compreender o que poderia ter acontecido. Christina tinha dito que o verdadeiro desenho estava no escritório do diretor do museu, dentro de um cofre. Como poderia ser? Marvin sentiu um pânico crescente.

Começou a correr de um lado para o outro na beirada da gola de James, frenético. O agente do FBI viria pegar esse desenho em cerca de duas horas. E se Christina tivesse cometido um erro? E se de alguma maneira tivesse misturado os dois desenhos?

Haveria um dispositivo de rastreamento, Marvin lembrou a si mesmo, tentando se acalmar. O FBI estaria monitorando tudo. Mas agora ele tinha que considerar a possibilidade do dispositivo de rastreamento estar prestes a ser fixado no original de Dürer por engano. E, de repente, os alertas de Christina sobre o perigo do plano – o risco do desenho ser verdadeiramente roubado e perdido para sempre – encheram sua cabeça como rufar de tambores. Já tinha sido assustador o suficiente quando Marvin achou que seu próprio desenho estava em risco. Mas agora era o *verdadeiro* Dürer que poderia ser tirado do museu e levado para o mundo estranho e nebuloso dos ladrões de arte e obras-primas roubadas.

Acima dele, Karl e James pareciam não suspeitar de nada.

– É fantástico, James – Karl estava sussurrando. – Tudo nele parece real.

É porque ele É real! Marvin queria gritar. Antes que Karl pudesse vê-lo, disparou de volta para seu esconderijo, mergulhado em pânico. Como poderia dizer a eles? A *Fortaleza* original de Dürer estava prestes a ser roubada, exatamente como as outras três *Virtudes*!

– Veja o detalhe – Karl continuava. – Para ver um desenho, realmente vê-lo, leva tempo.

Sim! Marvin pensou. *Olhe para ele, James. Olhe para ele e você vai ver.*

Mas James estava quieto na frente do desenho, olhando-o atentamente. Por fim, Karl disse – Temos que ir. Não vai demorar muito para você vê-lo outra vez.

Não! Marvin gritou em silêncio.

– Espero que sim – James disse, inseguro. Ele mudava de um pé para outro, hesitante. *Por favor, James*, Marvin rezava. *Não é o meu desenho.*

– Vamos, companheiro – Karl pegou no ombro de James.

Quando James começou a se virar, tudo o que Marvin conseguia pensar era no desenho. Não podia ir embora. Sem saber o que mais poderia fazer, correu para a ponta da gola de James, apontou a si mesmo em direção à parede, e pulou no vazio.

■ ■ ■

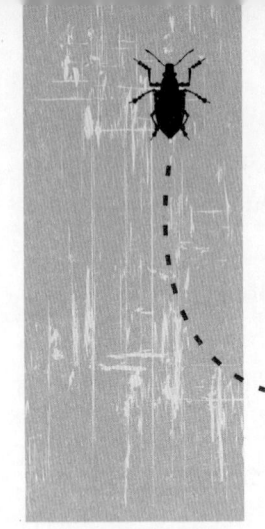

24 - Destino e Fortaleza

Marvin caiu de ponta cabeça no espaço por longos segundos. *Pumba*! Bateu no piso da galeria, rolou duas vezes e parou. Por sorte, o carpete cinza de penugem baixa amaciou sua aterrissagem. Ficou um pouco zonzo, mas só isso. Pés com sapatos pisavam em volta dele, e os tênis azuis de James desapareciam rapidamente à distância. Sabia que era um suicídio demorar no espaço aberto. Rastejou tão rápido quanto pôde até a parede e esperou perto do gasto rodapé.

Marvin tinha que chegar até o desenho, mas parecia arriscado demais subir a parede quando tantas pessoas estavam olhando os quadros. Sabia que seria difícil que sua carapaça preta passasse despercebida depois que começasse a subir a grande extensão da parede. Embora seu estômago se encolhesse frente ao perigo que ameaçava o desenho de Dürer, resolveu que não havia nada a fazer senão esperar até a galeria fechar. Na agitação dessa hora, esperava poder chegar sem ser notado até a *Fortaleza*, antes do agente do FBI

As horas passaram rápidas. Para se distrair dos seus medos, Marvin se ocupou com a observação das pessoas, que, de qualquer forma, era um dos seus passatempos prediletos. Contou os tipos diferentes de sapatos que passavam pelo local onde se escondia: 12 mocassins pretos, 6 mocassins marrons, 4 sapatos de salto fino, 8 sapatos de amarrar preto, 6 sapatilhas, 4 botas de caminhada, 8 botas finas, 11 tênis (e um pé engessado). Tentou prever quanto tempo as pessoas demorariam na frente dos quadros baseados no tipo dos seus sapatos. As sapatilhas e os mocassins pretos ganharam, com as botas de caminhada em segundo lugar bem perto. Os tênis se dividiam entre aqueles que demoravam mais do que todos (estudantes universitários, Marvin pensou), e os que escapuliam mal lançando um olhar (crianças).

Depois de algumas horas disso, Marvin estava morrendo de fome. O piso estava desapontadoramente livre de lixo, provavelmente devido à proibição de comer e beber dentro do museu. Poucos minutos mais tarde, porém, uma mulher passou empurrando um carrinho, e Marvin ficou feliz em ver uma rosquinha da marca *Cheerio* cair do colo do seu bebê. Examinou os movimentos da multidão atenciosamente antes de fazer uma arremetida maluca para buscá-lo. Então, como ele e Elaine faziam em casa, enfiou sua cabeça e suas patas dianteiras pelo buraco do *Cheerio*, empurrou com suas pernas traseiras, e foi rolando como uma argola em direção ao rodapé, escapulindo para a segurança. Quando chegou à borda do carpete, saiu e acomodou-se para jantar. O *Cheerio* estava um pouco velho, mas doce e mastigável, de qualquer maneira: um jantar muito satisfatório.

Por fim, o sistema de som tocou, e uma voz de mulher ecoou pela galeria: "O museu fechará em quinze minutos. Por favor, dirijam-se agora para a saída".

Marvin hesitou um momento, verificando se as pessoas estavam realmente se virando para sair, depois subiu pela parede o mais rápido que pôde. Quando chegou num dos cantos da moldura de madeira de *Fortaleza*, fez uma pausa o suficiente para olhar para o desenho, admirando a delicadeza das linhas que não eram suas. Depois, sumiu da vista atrás do canto esquerdo inferior da moldura.

Não teve que esperar muito tempo. Um momento depois, escutou passos rápidos aproximando-se do desenho, depois sentiu o quadro sendo tirado da parede. Segurou-se firme enquanto a moldura era enfiada rapidamente em um tipo de sacola de lona, completamente escura do lado de dentro. Olhou para cima e, pela abertura estreita, teve uma visão dos dedos grossos que seguravam a alça, os nós cobertos de pêlos ralos. A sacola balançou e bateu durante alguns minutos; depois, com um baque suave, parou.

Este deve ser o depósito de suprimentos, Marvin percebeu. Escutou o farfalhar de roupas e subiu um pouquinho no lado da moldura. A escuridão do depósito não era impedimento para Marvin, que estava bem acostumado a se mover no escuro. Pôde ver um homem baixo, troncudo, mexendo-se com rapidez e segurança, deixando de lado um uniforme azul marinho de guarda.

Súbito, a moldura foi tirada da sacola de lona e colocada de frente para baixo. Marvin teve que se reposicionar de lado, achatando seu corpo. Havia se esquecido dessa parte do plano de Christina. A moldura estava prestes a ser desfeita.

Tinha que se manter fora da vista. Escutou o *clique* de alicates removendo o aparato de pendurar. Uma faca cintilou sobre ele, perigosamente perto. Encolheu-se para longe da lâmina que deslizava com habilidade pelo reforço atrás do desenho em um retângulo firme.

Marvin rezou para não ser descoberto. Os próximos minutos eram críticos. Se fosse empurrado ou forçado a se soltar – ou pior ainda, se o homem o visse e o matasse com um tapa – quem poderia dizer para onde *Fortaleza* seria levada?

Escutou o papel se rasgando. Abruptamente, a luz de uma pequena lanterna brilhou na escuridão, lançando um raio branco estreito no fundo do desenho.

Marvin esquivou-se para fora da vista, aterrorizado. Agora podia ver o homem, sua testa franzida na concentração. Tinha cabelo escuro e uma aparência até afável. Podia ser qualquer pessoa, Marvin pensou – provavelmente uma vantagem para um agente secreto do FBI. O homem grunhia, rasgando o resto do reforço até Marvin ver o forro claro. Justo quando o homem estava prestes a tirar o desenho da moldura, Marvin pulou para o forro. Sentiu-o firme sob suas pernas. Quando espiou pela beirada, viu o papel antigo amarelado que, certamente, era o verso da obra-prima de Dürer. Podia cheirá-lo também – o cheiro bolorento dos séculos.

Segurando o papelão do forro cautelosamente com uma das mãos, o homem abaixou a lanterna. Marvin saiu apressado da vista, observando-o tirar uma coisa minúscula e prateada de dentro do bolso. Devia ser o microchip, compreendeu. O homem levantou o forro e virou-o rápida e habilmente, fazendo um pequeno corte com sua faca, enquanto Marvin se agarrava na ponta. Foi como uma cirurgia, pensou Marvin, essa tarefa delicada de encaixar o microchip em um lado do forro onde não seria visto. Depois de alguns minutos de manipulação, durante os quais Marvin escutava a respiração pesada e impaciente do sujeito, a lanterna foi desligada.

O microchip estava no lugar.

Marvin mal teve tempo de se esconder contra o fundo do papelão quando um pedaço de algo duro foi pressionado contra sua carapaça. O desenho girou no ar e deslizou levemente para dentro de um espaço pequeno e apertado.

Devia ser o bolso no casaco, Marvin pensou. *Fortaleza* estava pronta para sua jornada.

Estava completamente escuro dentro do casaco, e mesmo Marvin, que estava muito acostumado com lugares pequenos e escuros, sentiu uma onda de claustrofobia. Lembrou-se de quando ele e Elaine ficaram presos no estojo de óculos da Sra. Pompaday quando ela o fechou uma noite; como ele tinha entrado em pânico e empurrado em vão as paredes de feltro, e Elaine zombou dele por quase ter vomitado. Por sorte, a Sra. Pompaday resolveu assistir a uma reprise de um de seus programas preferidos, e não demorou muito para abrir o estojo outra vez. (Por mais sorte ainda, estava tão absorvida pela televisão que não reparou nos dois reluzentes besouros pretos escapulindo.)

Agora, Marvin sentia o casaco balançar com os movimentos de seu dono. Podia dizer quando o homem saiu do depósito; quando parou para se certificar de que não tinha sido visto; quando passou pelo corredor e desceu apressado a escadaria central do museu. Fragmentos do *Cheerio* se reviravam de maneira desconfortável no estômago de Marvin.

Batendo contra o peito quente e sólido do sujeito, Marvin escutava os barulhos das pessoas através do casaco grosso. Sentiu a mudança de temperatura assim que saíram do Met para a gelada noite de Nova York. Uma porta de carro se abriu e bateu. O homem murmurou um endereço para alguém, então Marvin escutou o tilintar rápido do teclado de um celular.

Esforçou-se para escutar a conversa.

– Sim, está feito – disse o homem. – Negativo. Estarei lá em vinte minutos. Qual é o número do quarto? Está bem. Até já.

Essa seria a primeira troca, pensou Marvin, mas não o final da jornada do desenho. Era tão difícil se lembrar do que supostamente iria acontecer e, no entanto, tão importante! Marvin curvou-se impaciente em seu lugar, tentando se concentrar, com o que parecia uma cartolina pressionando contra ele. Primeiro, o agente do FBI devia passar o desenho para um intermediário – não foi isso o que Christina lhes dissera? Um contato no mundo subterrâneo da arte. Então, seria passado para os verdadeiros ladrões.

O FBI devia estar seguindo o caminho do desenho, certo? Talvez tudo desse certo. Afinal, o plano era seguir o rastro do desenho falso e no final recuperá-lo. Marvin pensou em Christina, nos perigos que mencionara, os riscos de nunca verem o desenho outra vez. Pensou em James e sua incerteza quando olhou para o desenho pela última vez. Então, de repente, em uma onda de saudades, pensou em Mama e Papa. Um destino a vinte minutos de distância ainda estaria dentro da cidade... mas e se o desenho fosse levado para outro lugar?

E se Marvin ficasse preso ali, o companheiro não convidado e protetor impotente, incapaz de fugir? Talvez nunca mais visse sua família.

O risco que havia assumido tornou-se assustadoramente claro: seu destino e o de *Fortaleza* eram único e igual. Estremeceu, sentindo o zumbido monótono do motor do carro abrindo caminho pela cidade ativa e fatigada.

■ ■ ■

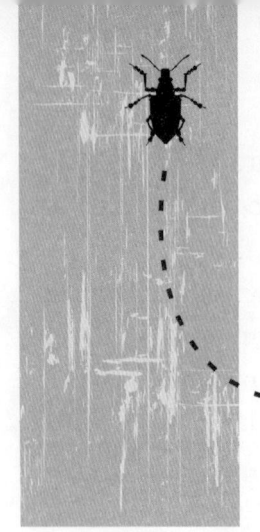

25 - O Intermediário

Marvin sentiu a parada do carro. O homem desceu e caminhou uma distância pequena, determinado e sem vacilação. Dentro do bolso escuro, Marvin tentou adivinhar o que estava acontecendo. O homem havia perguntado o número do quarto no telefone: estava agora num escritório? Num hotel? Pela sensação de queda no estômago, podia dizer que haviam embarcado num elevador. Então, o movimento parou e ouviu passos rápidos, seguidos de uma batida em surdina.

Uma voz desconhecida, abafada, mas concisa, perguntou:

– Você está com ele?

Será que era o intermediário, pronto para levar o desenho do Dürer para os ladrões verdadeiros?

– Aqui dentro.

– Mostre para mim.

Marvin não teve tempo de se preparar. Tentou ficar onde estava, gelado, enquanto o desenho era tirado de seu esconderijo. Justo quando *Fortaleza* emergiu na luz clara do cômodo, a beira de um tecido esbarrou na carapaça de Marvin e o jogou para fora de sua posição. Agarrou em vão na beirada do forro, mas errou. Viu-se arremessado para o ar, aterrissando com um estalo na superfície dura e lisa de uma mesa laminada.

Enfiando as pernas por baixo do corpo, Marvin ficou perfeitamente quieto, esperando não ter sido visto. A superfície da madeira, afortunadamente, era escura. Quando espiou ao redor, viu a decoração neutra de um quarto de hotel, bastante reconhecível por todos os dramalhões de televisão que ele e Elaine tinham assistido com a Sra. Pompaday: carpete escuro, colcha florida na cama, móveis simples e envernizados. O agente do FBI havia colocado o desenho de Dürer no meio da mesa, a centímetros de Marvin. Um homem magro, barbudo, inclinou-se sobre ele com lentes de aumento, examinando os detalhes.

Por um minuto, Marvin sentiu uma onda de medo. Mas então lembrou que esse era o desenho verdadeiro, não a sua falsificação. Com certeza, passaria pela inspeção.

Nenhum dos homens falou.

– Muito bem – disse o homem barbudo, por fim. – Eu o levarei para meu contato.

– E a minha parte? – o agente do FBI perguntou.

– Ali, no envelope. – O homem de barba fez um gesto para um pacote marrom achatado na mesinha de cabeceira, que o agente do FBI prontamente enfiou no bolso de seu casaco.

Os dois homens se viraram para a porta, e Marvin prendeu a respiração. Aqui estava a sua chance. Disparou pela superfície da mesa na direção do desenho. Mas, de repente, escutou um *bump*! Uma mão enorme golpeou a superfície próxima a ele, derrubando-o da mesa. Voou pelo ar e aterrissou em uma densa floresta tecida de carpete verde. Cheirava vagamente a cigarro.

Um sapato bateu no chão perto dele, depois bateu outra vez mais perto. Marvin correu para o abrigo da perna da mesa.

No alto, acima dele, escutou o agente do FBI perguntar:

– O que foi?

– Algum tipo de besouro – o homem barbudo respondeu. – É melhor esse desenho não estar infestado de insetos.

– De jeito nenhum. Deve ser do hotel. Percevejo.

Percevejos! Marvin se retesou de indignação. Os humanos são tão ignorantes.

O homem magro fez uma careta de desgosto, depois seguiu o agente do FBI até a porta.

Ao observar o agente do FBI sair do quarto – sua última ligação com o museu, James e sua segurança –, Marvin se sentiu verdadeiramente só.

■ ■ ■

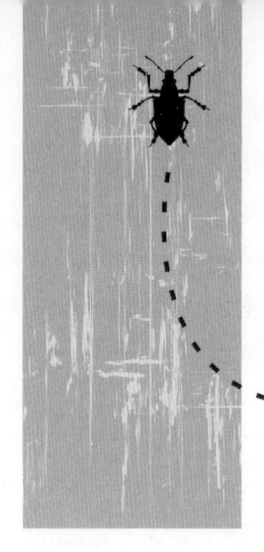

26 - A Jornada Secreta

Para Marvin, a perspectiva de passar a noite no quarto do hotel era sombria, mas rapidamente tornou-se evidente que o homem barbudo não ia a lugar nenhum. Fez dois telefonemas de um celular. Em um deles, falou em uma língua que Marvin não entendeu. No outro, disse: "Estou com ele". Depois: "Amanhã, às 10 horas, onde combinamos. Sim, com certeza. Até".

Enquanto Marvin se escondia no carpete grosso abaixo da mesa, o homem foi até o armário e puxou uma sacola de couro preto. Colocou-a no chão, a alguns centímetros de distância de Marvin, abrindo o zíper. Dentro, havia várias pastas grossas de papel. Depois de abrir uma delas, levantou com cuidado o desenho da mesa e o colocou entre as folhas da pasta. Depois, com destreza, colocou tudo dentro da sacola e fechou o zíper.

Marvin observou tudo isso com apreensão crescente. Tinha que encontrar um jeito de voltar para o desenho, mas zíperes eram notoriamente à prova de besouros.

O homem colocou a sacola de volta no armário do hotel. Fechou e trancou a porta, tirou os sapatos e se deitou na cama. Um minuto mais tarde, a TV foi ligada e Marvin escutou o homem abrir uma embalagem plástica e começar a mastigar alguma coisa. A noite passou sem acontecimentos, com a TV zumbindo, o homem comendo e Marvin embalado em um sono intermitente no seu esconderijo.

Quando Marvin abriu os olhos, o quarto estava escuro como um breu, e o homem roncava. Sabia que tinha que imaginar uma maneira de entrar na sacola, mas estava faminto, e a manhã demoraria horas para chegar. Com esforço, rastejou pelo carpete grosso até a mesinha de cabeceira, onde o homem com certeza deixou restos de seja o que for que tivesse comido. E de fato, quando Marvin chegou ao topo, encontrou uma embalagem vermelha e amarela amassada e uma pilha de cascas duras.

Cascas de amendoim, Marvin percebeu. Sentiu uma pontada de saudade de sua boia de casca de amendoim, perdida no esgoto do banheiro dos Pompadays. Ah, como seria delicioso se pudesse dar um mergulho na sua piscina de tampa de garrafa nesse momento! Fora apenas há duas semanas o seu banho de espuma depois do cano de esgoto, mas pareciam séculos atrás... antes que fizesse seu primeiro desenho, antes dele e James se tornarem amigos, antes que soubesse alguma coisa sobre um artista chamado Albrecht Dürer.

Não havia nenhum resto para comer na mesinha de cabeceira, mas havia um copo meio cheio de água. Sentindo-se levemente animado, Marvin enfiou um pedaço de casca de amendoim sob uma perna e subiu pelo vidro do copo. Hesitou um momento na borda, olhando para a água plácida embaixo. Então, segurou a respiração e mergulhou, com um *plá* suave! A alguns centímetros, o homem se mexeu e mudou de posição. Marvin empurrou a casca a sua frente e bateu as pernas, nadando em círculos amplos, com a água fria e limpa rodeando sua carapaça. Já se sentia melhor.

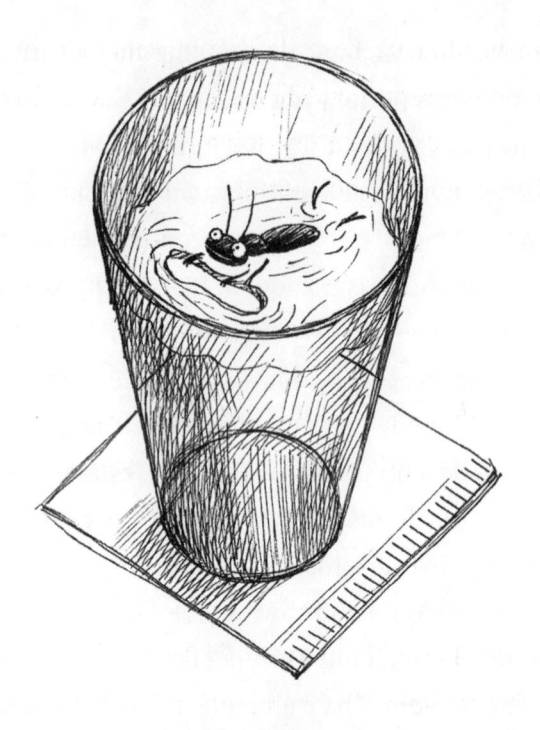

    Um pouco mais tarde, refrescado por sua natação noturna, Marvin subiu pela parede molhada do copo e se sacudiu para secar. Encontrou um lenço amassado perto do rádio-relógio e cuidadosamente enxugou sua carapaça. Depois, rastejou descendo até o chão, pelo carpete e por baixo da porta do armário, o que levou uma considerável quantidade de tempo.

Marvin hesitou na base da sacola, tentando decidir onde melhor poderia se agarrar. Acabou escolhendo a aba que cobria o bolso externo, colocando-se sob a fivela.

Devia ter pego no sono outra vez, porque acordou assustado com a batida da porta do armário ao ser aberta e a luz de um raio de sol o envolvendo. O homem magro e barbudo levantou a sacola e a colocou na mesa. Moveu-se pelo quarto apressadamente, juntando suas coisas, depois pegou outra vez a sacola e saiu do quarto.

Minutos mais tarde, estavam do lado de fora, na calçada, movendo-se a um ritmo rápido por uma sucessão estável de pessoas envolvidas em casacos de inverno e cachecóis. Marvin tremia embaixo da fivela; estava muito mais quente dentro do casaco do agente do FBI. Para onde estavam indo agora? Para outro encontro. Esta era uma parte da cidade onde Marvin jamais fora antes. Edifícios imensos ao lado um do outro e subindo, subindo, subindo até o céu. Avenidas largas entulhadas de carros e ônibus. Grandes vitrines de loja cheias de roupas, eletrônicos, joias. Depois de vários quarteirões, chegaram a um imponente edifício cinza com torres – uma igreja, pensou Marvin. O homem subiu os degraus rapidamente e entrou.

O espaço cavernoso, sombreado, estava cheio de gente, alguns acendendo velas, alguns sussurrando em grupos pequenos, alguns acomodados nos bancos, cabeças abaixadas em oração.

O homem magro e barbudo sentou-se perto da ponta do último banco. Marvin olhou em volta rapidamente. E agora? Poucos minutos depois, outro homem se enfiou no banco.

Nenhum deles falou. O magro e barbudo colocou a sacola perto do outro homem, levantou-se e saiu.

Marvin segurou a respiração.

Abruptamente, o outro homem agarrou a alça da sacola. Pegou-a tão rapidamente e com tanta força que Marvin largou a fivela e caiu no bolso externo. Não conseguia ver nada, mas sabia que o desenho estava outra vez em movimento. Tentou subir pelo bolso para ver melhor, mas o movimento rápido jogava-o de volta ao fundo do bolso. Acabou desistindo.

Escutou uma porta de carro se fechar, depois o tocar distante de um telefone e uma nova voz falando baixo. O homem tinha um sotaque fechado, e Marvin não conseguiu entender as palavras. Sentiu o ruído do motor. E agora, para onde estavam indo?

Passou-se um longo tempo, ou pelo menos pareceu a Marvin, que se esforçava para adivinhar o que estava acontecendo no mundo do outro lado de seu recinto. Houve paradas e novos começos e breves ondas de conversa ou, talvez, de instrução.

Estavam ainda em Nova York? Marvin não tinha como saber. Na escuridão tensa, flutuando por um mundo desconhecido, distante, sua mente saltava de volta no tempo, à festa de aniversário de James, à noite em que desenhou a cena da rua, à primeira vez que ficou sem ar ao ver *Fortaleza*. Podia sentir a presença do desenho através do couro da sacola. Sentia-se de alguma maneira reconfortado. Pensou no que Christina tinha falado sobre Albrecht Dürer: um homem triste, solitário, manejando com determinação sua pena para trazer à vida a moça e o leão.

Sem querer, Marvin cochilou um pouco. Acordou quando o movimento parou e a sacola foi abaixada com um ruído surdo.

Alguém abriu o zíper da sacola e a abriu, o que significava que o bolso onde Marvin estava escondido foi imediatamente achatado. Marvin rastejou rapidamente para a abertura, se espremeu e saiu em uma superfície de madeira. Escutou outra vez a voz estrangeira, desta vez falando um inglês defeituoso.

– Aqui está ela – disse o homem. – Bonita, não é?

Outra voz respondeu.

– Vale cada centavo. E agora está quase em casa.

O corpo inteiro de Marvin ficou rígido com o choque. Imediatamente reconheceu a voz.

■ ■ ■

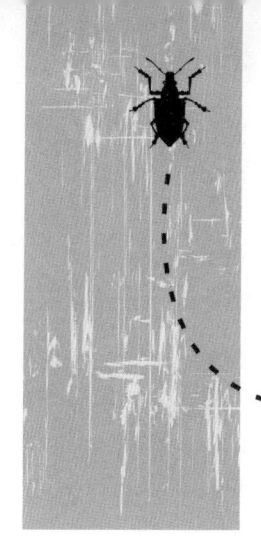

27 - Virtudes Escondidas

Denny!
No começo, Marvin ficou transtornado de alívio. Denny estava aqui! Agora tudo ficaria bem. Com certeza, reconheceria o desenho como o original de Dürer. Ele e Christina certamente reconheceram o erro. A confusão tinha acabado. *Fortaleza* logo voltaria para o Met!

– Não vamos mais precisar disso, vamos? – disse Denny.

Marvin saiu um pouco para fora da sacola justo a tempo de ver Denny tirar *Fortaleza* de seu forro de cartolina. Estavam no que parecia ser o saguão vazio de um pequeno edifício, com portas de saída de vidro a cada lado e bancos encostados nas paredes.

– O taxista está te esperando? – Denny perguntou ao homem de cabelos escuros que estava curvado sobre a sacola.

– Sì, signore.

— Vá rápido, e deixe isso no chão do carro. Vai ocupá-los por um tempo. — Dennis passou para ele o forro. — E isto é para você. — E entregou-lhe um gordo envelope branco.

Marvin não teve tempo de decifrar essa troca porque sabia que tinha apenas alguns segundos para escapar. Rastejou por debaixo da sacola e disparou pelo banco até onde Denny estava sentado. Subiu pelas calças de veludo cotelê que ele estava usando e se agarrou em uma alça do cinturão de Denny com todas as suas seis pernas.

O outro homem enfiou o envelope bojudo em seu casaco.

— Grazie, signore.

Rapidamente, enfiou o forro de cartolina de volta na sacola, fechou seu zíper e se apressou passando pela porta de vidro em direção à rua.

Denny murmurou para o desenho, "Muito bem, meu querido. Vou te colocar em um novo pacote, e já sairemos". Gentilmente, colocou *Fortaleza* em um envoltório pesado, depois dentro de uma pasta.

Marvin estremeceu, ainda tentando entender o que estava acontecendo. Sentiu uma pontada de incerteza. Quando voltariam ao museu?

Denny ficou de pé e fechou seu casaco sobre Marvin, escurecendo sua visão. Deve ter se dirigido para a rua porque ficou frio de novo e mergulharam no barulho da cidade.

Desta vez, o movimento não durou muito, e foi só caminhada, Marvin podia dizer. No final, escutou o som baixo de portas de elevador e o tilintar do botão sendo pressionado. Poucos minutos depois, as portas do elevador se abriram e houve um estrépito de chaves.

Depois, um leve farfalhar e o som de Denny cantarolando. Marvin escutou-o abaixar a pasta e destrancá-la. Devia estar tirando o desenho.

– Aqui está você, minha beleza – Denny disse baixinho.

Tirou o casaco, e finalmente Marvin conseguiu ver. Estavam em uma pequena sala escura, iluminada apenas por uma lâmpada em um canto. Era algum tipo de estúdio, Marvin pensou, com painéis de madeira de qualidade marrom avermelhada, e estantes de livros cobrindo as paredes. Denny colocou o desenho em uma grande mesa envernizada, e quando Marvin olhou para o que estava ao lado dele, sufocou um grito.

Havia três outros desenhos sobre a mesa.
Prudência.
Temperança.
Justiça.
– Hora de se juntar as suas irmãs – disse Denny. – Há quanto tempo elas a esperavam!

■ ■ ■

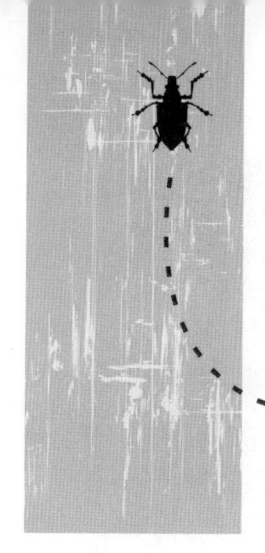

28 - Entre Ladrões

A cabeça de Marvin estava girando. O que Denny quis dizer? Aqui estavam elas: as quatro *Virtudes* de Dürer. Por mais confuso e assustado que estivesse, foi tomado pelo desejo de olhá-las. Precisou da quantidade total de seu autocontrole para ficar escondido sob a dobra do cinturão, silencioso e quieto.

Todos os desenhos há tanto tempo perdidos e roubados aqui com Denny!

O microchip fora tirado. Não havia como o FBI encontrá-los. Marvin não conseguia entender. Christina havia planejado o roubo todo? Ela mesma havia trocado os dois desenhos?

Tremeu, horrorizado. Só poderia haver uma única explicação: Denny e Christina tinham roubado os desenhos, todos eles. Por mais chocante que parecesse, deviam estar trabalhando juntos desde o começo. E esse era o objetivo deles: roubar a última *Virtude*!

Mas por quê?

Denny inclinou-se sobre a mesa, e Marvin esgueirou-se um pouco para olhar os quatro desenhos. Seu coração pulou em reconhecimento. Os traços finos, firmes, eram como uma saudação de um velho amigo. As mulheres dos outros desenhos eram imediatamente reconhecíveis como de Dürer: por mais que as imagens fossem minúsculas, as figuras eram sólidas e substanciais, ancoradas no papel. A expressão delas tinha a mesma melancolia que *Fortaleza* tinha – um tipo de solidão desejada.

Em *Prudência*, a mulher afastava-se do cupido alado que lhe oferecia uma coroa de louros. Em *Temperança*, ela despejava em um copo um tipo de líquido de uma pequena jarra. As linhas eram tão delicadas e milagrosas como o padrão de uma asa de borboleta.

Por fim, Marvin se virou para *Justiça*. O desenho tinha uma presença densa, viva, de nenhuma maneira parecida à imagem achatada do livro que Christina mostrara a eles. A mulher olhava tristemente à distância, sua espada pousada a seu lado, como se já estivesse resignada com a injustiça do mundo. Erguia sua balança como uma lanterna.

Marvin escutou um longo suspiro. Compreendeu, assustado, que ele e Denny haviam sido pegos pelo mesmo devaneio, atônitos com os desenhos.

Denny se endireitou e pegou seu celular. Marvin rapidamente saiu de seu cinturão para a mesa, escondendo-se nos entalhes da madeira no lado.

– Liesl? É Denny. Como vai você, meu querido? Sim, tudo como planejado em Frankfurt. Comprei um bilhete em aberto porque não tenho certeza de que dia poderei viajar. Você arrumará o transporte para me pegar no aeroporto?

Denny parou, escutando.

– Ótimo. Sim, é isso. Ficarei em contato. Logo nos veremos, Liesl.

Então era isso, pensou Marvin. Denny e Christina deviam estar planejando tirar os desenhos do país. "Liesl" soava como um nome estrangeiro.

Marvin observou Denny pegar uma garrafa na escrivaninha e despejar um líquido âmbar em um copo quadrado de cristal. Virou-se para os desenhos.

— À Virtude — sussurrou animado, levantando o copo, e Marvin pensou que Denny parecia querer chorar. — E ao mestre das *Virtude*s, o incrível Albrecht Dürer.

Secou o copo e o colocou na escrivaninha. Enquanto Marvin observava, gentilmente cobriu os desenhos com várias folhas de papel protetor, depois saiu da sala.

Marvin rastejou pela mesa até onde estavam os desenhos. Ao chegar ali, espantosamente perto deles, encheu-se de confusão. Era impossível pensar em Denny e Christina como ladrões. Eram devotados à arte de Dürer. Marvin se lembrou dos dois no escritório de Christina, interrompendo um ao outro com sua paixão pelos desenhos. Tudo era uma farsa? Nada disso fazia sentido.

Então, lembrou-se de uma coisa que Denny havia dito sobre as pessoas que roubam obras de arte: que às vezes faziam isso por amor.

■ ■ ■

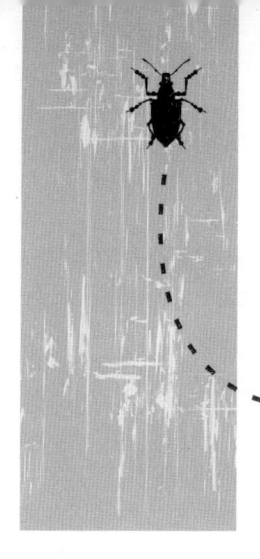

29 - Criando um Plano

Enquanto Marvin ficava ali confuso, tão perto das pequenas obras-primas de Dürer, uma pequena e afiada pontada de decisão começava a se formar dentro dele. Ele tinha que fazer alguma coisa. Mas o quê? Tinha que haver alguma maneira de parar esse roubo terrível. Se pelo menos James estivesse aqui! Precisava da ajuda do amigo agora mais do que nunca.

Marvin deslizou pela perna da mesa e pelo tapete até a escrivaninha. Rapidamente, subiu e cruzou sua extensão lisa até a aba da janela. As vidraças estavam enevoadas pelos grãos do inverno, mas Marvin podia ver a largura da rua muito claramente. Era um quarteirão orlado de árvores, com simpáticas casas de tijolo e pedra em ambos os lados da rua, intercaladas de lojas e restaurantes. Não diferente da vizinhança da casa dos Pompadays, pensou Marvin. Então, talvez ainda estivessem em algum lugar do mesmo lado da cidade. Esta noção o reconfortou, ainda que alguns quarteirões da cidade significassem meses de jornada da perspectiva de um besouro.

Examinou a escrivaninha, desesperado, tentando pensar no que fazer a seguir. Havia um porta-lápis de metal, um bloco de papéis, uma bandeja pequena com clipes e ligas de borracha, e uma pilha de envelopes e jornais. Marvin rastejou até a pilha de jornais.

Deve ser a correspondência de Denny, Marvin pensou. Conhecia um pouco sobre o sistema humano de correio porque Papa tinha lhe explicado, várias semanas atrás, quando o primo Buford tinha sido tragicamente misturado aos contratos imobiliários da Sra. Pompaday, fechado dentro de um envelope púrpura e laranja reluzente da Federal Express, e enviado para um de seus clientes. Quando Marvin perguntou para onde tinha sido enviado, Papa disse que o endereço estava escrito na frente do envelope, embora os besouros não soubessem como decifrá-lo. (Como consolo, Papa explicou também que, fosse para onde fosse que Buford estivesse a caminho, com certeza chegaria até às 10:30 da manhã seguinte.) À família só restava rezar para que sobrevivesse à viagem e conseguisse fazer uma nova vida para si mesmo na cidade. Particularmente, Marvin tinha dúvidas sobre a habilidade de Buford de fazer um sanduíche, muito menos uma nova vida para si mesmo. Mas não havia sentido em prolongar um assunto que não poderia ser resolvido.

Assim, Marvin sabia que o escrito no envelope dizia ao carteiro onde entregá-lo. Hesitou à beira da pilha. Um dos jornais tinha uma etiqueta branca pregada nele. Seria o endereço deste apartamento? O lugar onde as *Virtudes* de Dürer estavam sendo escondidas? Marvin examinou essa possibilidade. Se tivesse uma maneira de levar a etiqueta do correio para James, pelo menos saberia onde procurar os desenhos roubados... contanto que conseguisse o endereço antes de Denny empacotar os desenhos e deixar o país.

Era uma coisa complicada, mas a única ideia que tinha no momento, e certamente era melhor fazer *alguma coisa* do que ficar lá sentado choramingado enquanto os desenhos desapareciam para sempre.

Rastejou pelo fino papel do jornal até a etiqueta. Ela teria que ser despregada de alguma maneira. Com cuidado para proteger as linhas escritas, suavemente mastigou a cola amarela com gosto horrível que grudava a etiqueta no papel. Usando as pernas dianteiras para levantar e puxar, acabou descolando a coisa toda.

Satisfeito consigo mesmo, Marvin empurrou a etiqueta para uma superfície vazia da escrivaninha. Era levemente acidentada nas bordas e estava úmida por sua mastigação, mas ainda conservava as três linhas completas de letras pretas. Esticou-a bem e começou meticulosamente a dobrá-la e enrolá-la, exatamente como fazia com sua manta e sua toalha sempre que os besouros iam acampar. Depois que reduziu a etiqueta a um feixe compacto, que era quase tão comprido quanto ele, procurou no topo da escrivaninha alguma coisa com que amarrá-lo.

Viu o casaco jogado sobre a cadeira. Alguns fios do cabelo

grisalho de Denny se esparramavam pelos ombros, justo como Marvin esperava. Subiu para pegar um e depois o usou para amarrar a etiqueta enrolada em sua barriga, apertando o fio de cabelo como se fosse um cinto.

Como se poderia imaginar, isso dificultou bastante a caminhada de Marvin. Foi gingando de volta para a pilha da correspondência e sentou-se debaixo da ponta do jornal, arfando exausto. Agora só precisava pensar em uma maneira de colocar a etiqueta nas mãos de James.

Seus pensamentos foram interrompidos momentos mais tarde quando Denny apareceu na porta do estúdio, falando com urgência em seu celular.

– O quê? O que você quer dizer? Christina, não estou entendendo.

Christina! Sua cúmplice. Marvin estremeceu de desgosto. Como ele se deixou gostar tanto dela?

– O que aconteceu? – Denny continuou. – Eles fizeram isso? Só o forro? Ah, claro, com o aparelho de rastreamento. Minha querida, acalme-se, está difícil te entender.

Marvin saiu debaixo do jornal para escutar melhor. Por que Christina estava nervosa? O plano deles tinha funcionado perfeitamente.

– Bom, isso é realmente uma pena, mas por que você está tão...

Houve um longo silêncio, e Denny se inclinou sobre a mesa, escutando com atenção. Sua mão estava a poucos centímetros do desenho da *Justiça*, levemente tamborilando na mesa. De repente, prendeu a respiração.

– Não! O Dürer *original*! Christina, você deve estar enganada.

Marvin saiu de perto da pilha do correio, completamente confuso. É claro que era o Dürer verdadeiro, eles mesmos o roubaram. Muito longe, podia escutar a voz alta de Christina, frenética, do outro lado da linha.

– Não, eu estava na galeria ontem, e não notei nada de errado. Claro que não estava olhando de perto, já que era você mesmo que o estava embrulhando. Você tem razão, era difícil perceber, mas minha querida... realmente não posso acreditar. Você tem mesmo certeza? – Denny fez uma pausa.

Então, Christina não sabia! Tantos sentimentos invadiram Marvin que ele quase se esqueceu de se esconder quando Denny se dirigiu para a escrivaninha para pegar seu casaco. Na sombra do jornal, mergulhou no alívio. Christina não estava envolvida. Seu amor pelos desenhos era real. Sua amizade com James e Karl era verdadeira.

– Sim, sim, vou imediatamente – disse Denny. – Preciso ver isso por mim mesmo. – Marvin podia escutar outra torrente de comentários fracos pelo telefone, e Danny esperou, com uma das mãos em seu casaco.

– É muita coisa para pensar, se *Fortaleza* tiver desaparecido também agora. – Denny fez uma pausa e um silêncio pesado, mas os movimentos ociosos de seus dedos sobre o casaco traíam sua calma. Marvin se remexeu, furioso. Que farsa era essa! – Se você estiver certa, tenho que contatar meu diretor e o corpo de diretores do Getty tão logo seja possível, claro.

Marvin podia escutar os tons angustiados da resposta de Christina, e se lembrou que *Fortaleza* tinha sido um empréstimo do museu de Denny. Nem mesmo pertencia ao Met. Isso tornava o horror e a culpa de Christina ainda mais agudos, sabia.

Denny escutou por um minuto, depois disse.

– Não, não, vi o cuidado que você tomou. Eu estava lá com você. Você não deve ser tão dura consigo mesma, Christina. Eu ainda... para ser completamente franco, ainda não entendo como isso pôde acontecer. A semelhança com o de James era notável, mas... você tem certeza que o original desapareceu?

Ah, que mentiroso ele era! Marvin mal podia se controlar.

– Sim, sim. Lamento tanto, minha querida. É realmente impensável. Você notificou o pessoal do museu? A polícia? – Denny esperou. – Certo, isso faz sentido. Irei imediatamente, e faremos isso juntos. Talvez, afinal, você esteja errada, Christina. Ah... James está aí agora? – Ele não gostou. – Ele reconheceu? Hmmmm... sim... entendo.

Marvin sentiu uma onda de gratidão envolvê-lo. James estava lá! Se pelo menos pudesse chegar até James, imaginaria um jeito de explicar tudo. Tinha que haver uma maneira de salvar as adoráveis obras-primas de Dürer antes que se perdessem para sempre.

– Encontrarei você em seu escritório em vinte minutos – Denny continuou. – Falaremos juntos com seu diretor. – Desligou o telefone e pegou seu casaco.

Esta era sua chance, Marvin percebeu. Enquanto Denny pegava seu casaco na cadeira, Marvin correu atabalhoado até a beirada da escrivaninha, com cuidado para não deixar cair o rolo da etiqueta que estava amarrado em sua barriga, e mergulhou direto no ar em direção a uma das mangas.

Seu corpo estava muito mais pesado do que o normal, e mal conseguiu alcançar seu alvo. Pedalando desesperadamente suas pernas, agarrou-se ao tecido justo quando Denny jogava o casaco sobre seus ombros.

Denny virou-se para a mesa, sorrindo para o desenho.

– E agora, senhoras, não posso deixá-las expostas para qualquer um ver.

Foi até o armário do estúdio e pegou a pasta e um punhado de material de empacotamento. Muito gentilmente, com precisão cirúrgica, embrulhou os desenhos com um papel protetor e os arrumou com cuidado dentro da pasta. Pequenos como eram, couberam facilmente. Então, fechou a pasta e a colocou outra vez no armário.

Marvin observou em um silêncio mortal. Só podia rezar para que essa não fosse a última vez que veria *Justiça, Fortaleza, Prudência* e *Temperança*.

Um minuto mais tarde, viu-se agarrado à manga do casaco de Denny, que se apressava pela porta em direção ao Met.

■ ■ ■

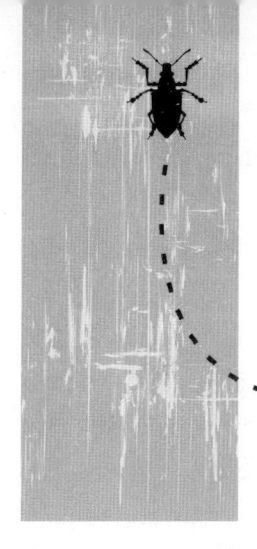

30 - Com Ajuda de um Amigo

Depois de uma rápida caminhada, que pareceu percorrer dez ou doze quarteirões – Marvin notou com alívio que estavam perto o bastante do museu para não precisar de táxi nem de metrô – Denny subiu as escadas do Met e finalmente entrou pela porta do escritório de Christina. Ali, com apenas um olhar, Marvin viu uma cena desoladora. James e Karl pareciam em choque. Christina estava sentada à mesa, sua cabeça loura abaixada, as mãos cobrindo o rosto. Seus óculos estavam jogados a sua frente, e sua face estava molhada de lágrimas.

– Minha carreira está acabada – disse. – Acabada. Quem jamais entenderá isso? Como pude fazer uma coisa tão espantosa?

– Christina – Denny disse, consolador. – Vamos primeiro ter certeza. Eu falei com você pelo menos seis vezes desde que o desenho foi levado do museu, e até agora tudo estava saindo como planejado. Simplesmente não posso acreditar que você tenha cometido esse erro.

Marvin escutou enojado. Como a preocupação de Denny soava convincente.

– Olhe para ele – disse Christina, abobada.

Assim que Denny caminhou em direção a ela, Marvin desceu por sua manga até as pernas de sua calça, e de lá para o chão. O peso da etiqueta enrolada tornou essa jornada bastante árdua, mas assim que se viu em segurança no chão, correu para debaixo da mesa. Agora, a questão era como chamar a atenção de James.

Poderia tentar subir até sua cintura, como já tinha feito antes, mas todos estavam tão focados no desenho, que não sabia se James sequer o notaria. Ficou perto da perna da mesa, matutando sobre esse novo desafio. Acima dele, escutava a conversa tensa.

– Eles pareciam iguais – James estava dizendo. – Ninguém poderia dizer qual era qual.

Christina suspirou.

– Foi por isso que pedi para vocês virem. Estava com a esperança de que dissessem que estava errada. Mas... ah, vejam. Assim que o FBI disse que tinham achado o aparelho de rastreamento em um táxi em um estacionamento, tive uma sensação ruim no estômago. Tive que checar o original, para me tranquilizar. E então... bem, eu sabia. Você também consegue ver, não consegue, Denny?

É claro que consegue! Marvin queria gritar. *Ele planejou tudo*! Não aguentava ver o gesto solidário de Denny.

– Não é o Dürer – disse, calmo...

Christina se virou para James, inconsolável.

– Está vendo? Poderíamos fazer todo tipo de teste para confirmar, mas não é preciso. Quando alguém olha para o trabalho dele por tanto tempo, como eu e Denny, podemos sentir nos ossos. – Balançou a cabeça. – É assim com qualquer falsificação. Seja o que for que os testes digam, é no julgamento humano que todos confiamos como veredito final. Porque quando você conhece bem um artista, a coisa que perturba em uma falsificação continuará perturbando quanto mais você olhar. Até se tornar intolerável.

Marvin a viu olhar para seu desenho e fechar os olhos, e ele se encolheu com a compreensão de como uma coisa feita por ele pudesse causar tanto pesar. Mas antes que tivesse tempo para pensar nisso, viu uma coisa brilhando perto do pé da mesa. Era a tachinha de metal que havia escondido na noite que ficou abandonado no escritório de Christina.

Oba! Uma arma. Ou, se não uma arma, um excelente instrumento para cutucar. Marvin a agarrou com suas duas pernas dianteiras. Segurando a ponta afiada para cima, e ainda carregando a etiqueta enrolada, rastejou com grande dificuldade até o tênis de James. Subiu pela lateral do tênis, até a beira da barra do jeans, e pressionou a tachinha contra o tornozelo nu do garoto.

Nenhuma reação. Acima, a conversa angustiada continuava.

Marvin tensionou os músculos de sua perna e enfiou com vigor a ponta da tachinha na pele branca.

– AI! – James gritou.

– O que foi? – Karl perguntou, preocupado.

— Ai, não sei, meu tornozelo doeu — James sacudiu o pé, quase derrubando Marvin no chão. Agachou-se e levantou a perna da calça.

— Você o torceu? — Karl começou a se agachar ao lado dele, mas James já tinha visto Marvin.

— Não, não, papai. Está tudo bem — James disse, rápido. — Meu pé deve ter ficado adormecido. Agulhada. — Olhou para Marvin, pegou a tachinha e a deixou cair no chão, e então, rapidamente, colocou o besouro debaixo da manga de seu casaco.

Marvin soltou um longo suspiro. Até aqui, tudo bem. Agora, só tinha que mostrar a James a etiqueta de endereço.

De sua nova posição, podia ver Denny examinando o desenho na mesa, na frente de Christina. Estava numa moldura idêntica a do original, mas, mesmo através do vidro, Marvin não teve problemas em reconhecê-lo como o seu próprio desenho.

– Eu só não consigo entender – disse Christina. – Fui tão cuidadosa. Chequei o desenho uma dúzia de vezes. Não sei como pude confundi-los.

Karl agachou-se ao lado de Christina, sua mão no ombro dela.

– Eles se pareciam tanto – disse, com gentileza. – O museu não a demitirá por um engano.

Levantou os olhos, desesperada.

– Denny, diga a eles. Aquele desenho valia pelo menos meio milhão de dólares. Estava emprestado de outra instituição! E eu o coloquei em risco sem necessidade, por meus próprios objetivos estúpidos.

Karl sacudiu a cabeça.

– Não, isso não é justo. Você estava tentando recuperar o que havia sido roubado, *Justiça*. Era um bom plano.

– Era, Christina. E todos nós demos nossa aprovação – disse Denny. – Mas temo que isso não ajudará muito nas relações entre os nossos dois museus. A verdade é que nós dois somos responsáveis pelo desenho, e pagaremos o preço por este... desastre.

Marvin mal podia aguentar esse show de contrição.

Christina apontou para a porta, depois pressionou os dedos contra suas têmporas.

– Eu nem me importo pelo meu emprego. A pior coisa é que *Fortaleza* foi roubada, e a culpa é minha.

Karl massageou o ombro dela.

– Talvez o FBI seja capaz de recuperá-la – disse. – Sei que o microchip caiu ou foi tirado, ou seja lá o que for; mas pelo menos sabem onde o desenho estava até esse ponto, certo?

– Sim, mas foi uma série de lugares públicos, um hotel, uma igreja, um prédio de escritórios. O aparelho não é preciso o suficiente para apontar os quartos, e o desenho não ficou parado por mais de alguns minutos, portanto o FBI não teve tempo de se aproximar. Ou pelo menos não até o táxi voltar para o estacionamento e descobrirem o forro e o microchip no chão da parte de trás. Ainda estão procurando e retraçando o caminho, mas não tenho muita esperança.

– Precisamos começar a avisar as pessoas – disse Denny, com tranquilidade.

– Sim. – Christina parecia sem esperanças. – Só queria dar ao FBI um pouco mais de tempo, caso... Ah, Denny, não consigo aceitar isso.

– Eu sei, minha querida. Lamento tanto, tanto.

Isso foi demais para Marvin. Não aguentava o olhar de temor e tristeza no rosto de Christina. Como se lesse seus pensamentos, James falou,

– Tenho que ir ao banheiro.

Karl mal olhou para ele.

– Está bem, companheiro. Você sabe onde é.

Assim que saíram do escritório, James levantou seu punho e trouxe Marvin para bem perto do seu rosto.

– Por onde você ANDOU? Não consegui imaginar o que havia acontecido com você! Você ficou no museu? Você caiu do meu braço de alguma maneira? – Balançou a cabeça. –

Temos que pensar em uma maneira melhor de carregar você. Ah, puxa, pensei que tivesse perdido você outra vez.

Olhando direto para os olhos de James, Marvin imediatamente rolou para um lado, deixando a etiqueta enrolada à mostra.

James o encarou.

– O que é isso? – perguntou.

Marvin usou suas pernas dianteiras para tirar a etiqueta do cinto. Estendeu-a para James.

– Parece um pequeno pedaço de papel – disse James. – Todo enrolado. Como um aviãozinho. É uma bolinha de papel mascado?

Marvin esperou.

– Tem alguma coisa nele?

Marvin correu entusiasticamente do punho de James para sua mão.

– Está bem, está bem. – James se agachou no corredor, encostando-se contra a parede. Pegou a etiqueta com dois dedos e virou lentamente sua mão para que Marvin não caísse.

– O que devo fazer com isso? – perguntou, observando Marvin. – Abrir? – Começou a desenrolar a miniatura de rolo de papel. Quando terminou, abriu o retângulo branco e amassado em sua coxa e leu: – Gordon Perry, 236 Leste, Rua 74, Apartamento 5D, Nova York, Nova York.

Marvin ficou preocupado. Uh-oh. Então, a etiqueta não tinha o nome de Denny nela, afinal. Mas com certeza era o apartamento correto. Rua Setenta e Quatro fazia sentido, só a alguns quarteirões do Met.

– O que é isso? – James perguntou, examinando Marvin atentamente.

Marvin correu em volta, excitado.

– Qual é o problema? Por que você está tão nervoso? – James observou com seus graves olhos cinza. – Faça o que você fez antes, quando lhe dei a carona até a cozinha. Vá até a ponta do meu dedo se eu estiver correto. Esse cara tem alguma coisa a ver com o desenho? O desenho verdadeiro?

Marvin correu até a ponta do dedo de James.

– Sim? Ele roubou o desenho?

Bem, isso não era exatamente correto, mas James era tão esperto, ele daria um jeito.

– Verdade? – James mordeu os lábios. – O que devemos fazer? Chamar a polícia?

Marvin voltou para baixo do nó do dedo de James. Não, não, isso não iria funcionar. A polícia não saberia o que fazer com esta informação, e não saberia que ela era importante.

James olhou para a etiqueta, franzindo a testa.

– Eu não sei, carinha.

Marvin correu até a ponta do dedo de James e esticou sua perna para o ar.

– Você quer que eu o leve a algum lugar? Onde?

Marvin agitou suas pernas freneticamente.

– Está bem. Entendi. Onde? A este endereço?

Ponto para James! Marvin sabia que ele ia entender. Ficou na ponta do dedo de James, agitando duas pernas no ar.

– Mas, e se esse cara for o ladrão?

Marvin continuou a se lançar para o espaço, esperando que James se pusesse de pé e em movimento.

James lançou um olhar de lado para a porta de Christina.

– Devo contar para eles?

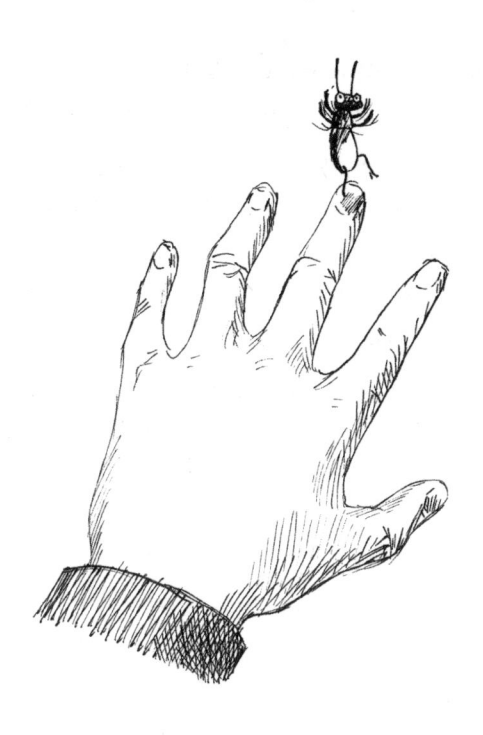

Alarmado, Marvin voltou para o nó do dedo de James. Nem podia imaginar o que aconteceria se Denny descobrisse que estavam a caminho do lugar onde as obras primas de Dürer estavam escondidas.

– Não? – James suspirou. – Acho que você está certo. Não iriam entender, e então não me deixariam ir.

Levantou, pensando.

– Está bem, veja, não é muito longe daqui. Meu pai vai ficar completamente enlouquecido, portanto não podemos demorar muito. Eu nem sei o que você quer que eu faça, mas talvez você possa me mostrar quando chegarmos lá.

Todo contente, Marvin voltou para a ponta do seu dedo.

James olhou para ele, ansioso.

– Isso vai ser perigoso?

Soou tão parecido com alguma coisa que o próprio Marvin teria dito para Elaine que quase sorriu, apesar dos seus nervos. Enquanto Denny estivesse no museu, estariam a salvo. Esperava. Olhou para James, sem saber como responder. Chegar ao apartamento era só metade da batalha, Marvin sabia. Depois, tinha de imaginar uma maneira de fazer James chegar aos desenhos.

Segurando a etiqueta em sua mão, James se levantou, enfiou Marvin para dentro do punho de sua jaqueta, e correu pelo corredor em direção à saída.

■ ■ ■

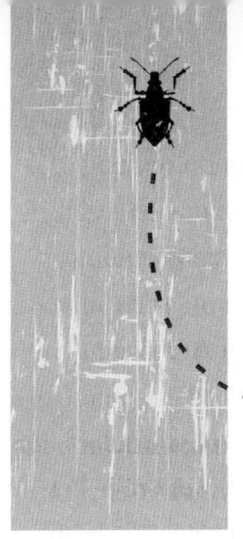

31 - Arrombando e Entrando

James andou muito mais rápido do que Marvin tinha esperado, cobrindo os doze quarteirões até o apartamento na Rua Setenta e Quatro Leste em grandes passadas. Quando chegaram à grande varanda da frente, hesitou, estremecendo, ao olhar para o painel de metal com os números dos apartamentos e campainhas. Começou a nevar levemente, flocos úmidos polvilhando a calçada.

– O que devo fazer? Apertar o botão? – perguntou a Marvin. Marvin foi até a ponta de seu dedo, mas sem muito entusiasmo. Sabia que o apartamento estava vazio.

– Vamos ver, 5D – disse James. Leu a etiqueta outra vez. – Perry. Aqui está. – Apertou. Não houve resposta.

James quicava com seus tênis. Olhou para cima, para a frente alta do edifício piscando flocos de neve. Então, deu de ombro.

– Acho que temos de encontrar uma maneira de entrar, não? Alguém deve estar em casa em algum desses apartamentos.

Passou os dedos pela fileira dupla de botões, apertando todos. O interfone crepitou, com muitas vozes falando, "Sim?" e "Quem é?", até que alguém com indiferença apertou o botão de abrir e a porta da frente zumbiu. Rapidamente, James virou a maçaneta e entrou no pequeno saguão de azulejos.

Tomaram o elevador até o quinto andar, com Marvin tentando pensar em como entrar no apartamento. Poderia, com certeza, rastejar para baixo da porta, mas isso não adiantaria para James. Uma vez lá dentro, supunha que poderia ser capaz de ligar o alarme de incêndio (tio Albert, o perito em eletricidade, havia ensinado alguns truques a Marvin), e se tivesse sucesso, o zelador do prédio com certeza viria e abriria a porta para averiguar. Mas como James explicaria o que estava fazendo ali?

James encontrou a porta marcada com uma placa de bronze com o número "5D". Olhou nervoso para o corredor.

– Está bem, acho que vou bater – disse a Marvin. – É melhor não ter nenhum *criminoso* aí dentro.

Respirou fundo e bateu na porta. Não houve resposta. Olhou para Marvin.

– E agora, o que fazemos?

Marvin correu até a ponta do dedo de James e balançou suas pernas dianteiras para a porta.

– Eu sei, seu sei. Você quer entrar lá dentro. Mas como? – James tentou a maçaneta da porta com as duas mãos. – Está vendo, está trancada.

Marvin, vendo sua chance, rastejou rapidamente para a maçaneta. A única coisa que ele conseguia pensar era tentar forçar a fechadura ele mesmo. Deu uma boa e comprida olhada dentro da escuridão do buraco da fechadura, depois mergulhou.

– Espera! O que você está fazendo? – James protestou.

O buraco da fechadura era escuro e cheio de pedaços de metal frio. Marvin podia ver o mecanismo da fechadura com perfeita nitidez, mas não tinha ideia de como movê-lo para destrancar a porta. A tia-avó Mildred, a serralheira da família, havia dado várias conferências a seus parentes exatamente sobre esse tópico, mas Marvin não havia compreendido que ele mesmo logo precisaria dessa informação. O segredo era um tipo de alavanca, recordava.

– Ei! – James sussurrou pelo buraco, enviando uma rajada quente de ar pelo pequeno espaço. – Cadê você, carinha?

Marvin viu um olho preocupado de James aparecer na abertura.

– Você está tentando abri-la? Verdade? Isso ia ser legal!

Marvin empurrou com toda força que podia o pino de metal, mas ele não se mexeu.

Um minuto mais tarde, a respiração de James invadiu outra vez o buraco.

– Sabe o quê? Tenho um clipe de papel no meu bolso! Talvez isso ajude. Segure.

Marvin escutou um ruído e, um momento mais tarde, a ponta curvada de um clipe de papel foi enfiado no buraco da fechadura. Marvin pulou para fora do caminho bem antes que ele o furasse. *Vá com calma*, pensou.

– Isso ajuda? – James sussurrou.

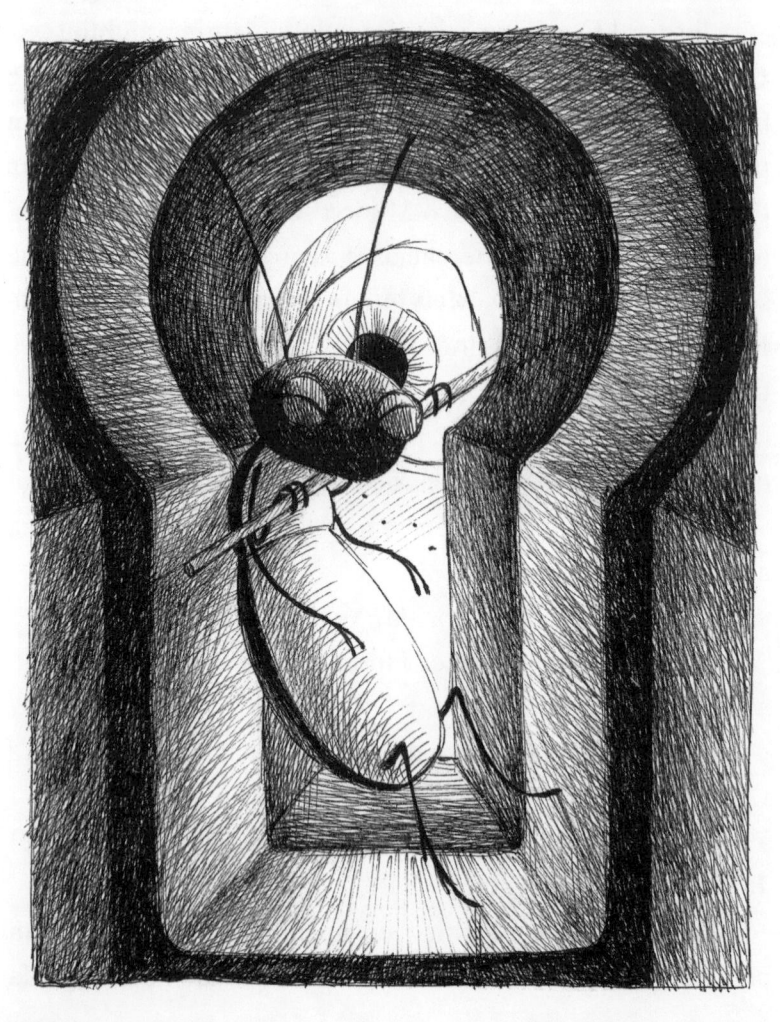

Marvin examinou o clipe de papel e a barra de metal da fechadura. Tentou desesperadamente se lembrar das instruções da tia-avó Mildred. Posicionou o clipe de papel com cuidado contra o mecanismo do fecho, depois virou-se e pressionou sua carapaça contra o clipe. Apoiando os pés contra o lingote da fechadura, empurrou o máximo que pôde.

Nada.

Empurrou outra vez.

Nada.

– Como está indo? – James sussurrou. – Talvez você não seja forte o bastante sozinho. Eu vou tentar girar o clipe, está bem?

Marvin reposicionou o clipe e empurrou com toda sua força enquanto James começava a girá-lo. Alavanca! Escutou um tranco surdo quando a barra de metal deslizou para trás.

– Está abrindo! – James sussurrou deliciado, abrindo a porta. Marvin saiu do buraco da fechadura para a mão de James. Um momento mais tarde, estavam dentro do apartamento.

■ ■ ■

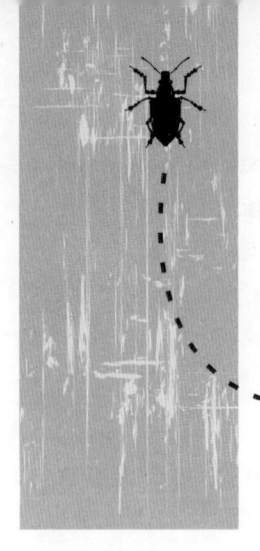

32 - Uma Revelação

James fechou a porta com cuidado atrás deles. Deu um piparote no interruptor, examinando a pequena e bem arrumada sala de estar do apartamento.

– Que lugar é esse? – perguntou a Marvin. – Quem é Gordon Perry?

Quem, realmente. Um amigo de Denny? Um cúmplice no roubo? Marvin não tinha ideia. Foi outra vez até a ponta do dedo de James e balançou suas pernas no ar.

– Onde você quer que eu vá agora? – James perguntou. Começou a caminhar devagar em torno da sala.

Usando a técnica que tinham aperfeiçoado antes, Marvin guiou James, com algumas paradas falsas e novos começos, até a porta fechada do estúdio.

– Está bem – disse James. – Lá dentro. – Abriu a porta e entrou. – Hã.

Olhou em volta, examinando as estantes e a mesa. Então, caminhou até a escrivaninha, olhando para a pilha de correspondência.

– Este é o lugar, muito bem. Mas não tem nada aqui, carinha. O que fazemos agora? – Hesitou em frente à janela, olhando com apreensão a neve cair. – Tenho que voltar. Meu pai vai ficar realmente preocupado, e se telefonar para minha mãe... bem, você sabe como ela é.

Não! Ainda não, James, Marvin suplicou. Correu para frente e para trás ao longo do dedo de James.

– Está bem, relaxe. O que você está tentando me dizer?

James se virou para o armário, para onde Marvin estava apontando com seu corpo.

– Alguma coisa lá dentro?

Marin correu para a ponta do dedo de James e bateu todas as suas pernas no lugar, como em uma dança frenética.

De testa franzida, James atravessou o cômodo e abriu a porta do armário, revelando uma confusão de casacos e algumas caixas. A pasta estava no chão, no fundo.

Marvin atirou suas pernas dianteiras sobre o precipício da ponta do dedo de James, agitando-os no meio do ar.

– O quê? – James perguntou, agachando-se. – É só um monte de caixas. Por que você está tão nervoso?

Marvin girou em círculos, desesperado para James descobrir o segredo de Denny.

– É alguma coisa sobre o desenho?

Dominado pela frustração, Marvin se atirou do dedo de James até o chão e correu pelo piso de madeira até a pasta.

– Ah – disse James. – Isso? Muito bem, vamos ver.

Levantou Marvin muito gentilmente e puxou a pasta para fora do armário. Sentado com a perna cruzada no chão, acomodou-a e abriu o fecho.

– É só um monte de papéis – disse.

Marvin se atirou de seu dedo outra vez, caindo em cheio no meio do embrulho que envolvia os desenhos.

— Escuta, carinha. Temos que voltar ao museu. Não sei o que você acha que tem aqui, mas...

Marvin batia na camada de papéis com suas pernas, completamente fora de si.

James respirou fundo.

— Não acho que devo mexer nessas coisas. O tal Perry vai notar e ficará furioso.

Marvin rolou de costas e balançou suas seis pernas no ar, o mais dramático sinal de SOCORRO que podia imaginar.

— Puxa — disse James. — Você está ficando louco. — Tocou o canto do papel de cima com os dedos. Com toda sua força, Marvin se virou e correu para a beira da folha.

James mexeu-a um pouco para o lado e, hesitando, fez aparecer o que estava embaixo. Arfou.

Ali, revelada em toda sua glória, estava *Fortaleza*.

James ficou olhando.

— É o original — disse, hesitante, como se não pudesse acreditar em seus próprios olhos. — É mesmo, não é? — Olhou para Marvin atônito. — Você o descobriu! O que foi roubado! Como você fez isso?

James pulou em pé, tremendo. Começou a caminhar em volta da mesa, segurando a cabeça com ambas as mãos e falando tão rápido que Marvin mal podia escutar.

— O tal do Perry deve tê-lo roubado! Temos que falar com meu pai. Temos que falar para Christina e Denny. E se ele voltar? E se ele nos descobrir aqui?

Súbito, James se agachou e levantou Marvin do papel, colocando-o disfarçado em seu punho. Olhou o cômodo em volta. Vendo o telefone na escrivaninha, correu para ele.

– Vamos telefonar para meu pai – disse. – Ele saberá o que fazer.

Apertou os números e segurou o fone apertado contra sua face, esperando.

Depois de um minuto, murmurou.

– Não está chamando. Deve estar em algum lugar onde seu celular não pega.

Marvin tentou pensar no que fazer. Mas James não hesitou. Apertou outros números.

– Alô? Hum, telefônica de Nova York? Poderia me passar o numero do Met. Sim, o museu. Não, espere! Não a gravação, preciso falar com alguém. Sim, está bem. Obrigado. – Escreveu um número em um bloco de papel na escrivaninha, depois discou. – Olá, hum, poderia falar com o escritório de Christina Balcony?

A voz de James explodiu de excitação.

– Denny! Denny, sou eu, James! Eu encontrei o desenho! Eu encontrei *Fortaleza*!

■ ■ ■

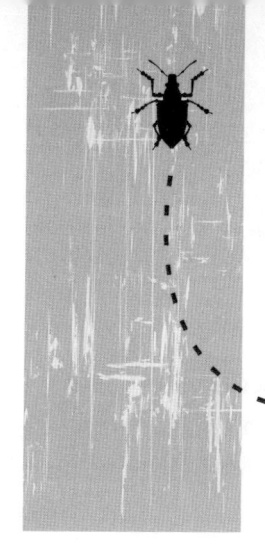

33 - Numa Armadilha

Marvin gelou. Denny! *Não diga a Denny,* queria gritar. Mas é claro que James não tinha como saber que Denny era o ladrão. Ele já estava falando completamente emocionado pelo telefone.

– Não, verdade! Estou no apartamento de uma pessoa, um tal de Gordon Perry. O endereço é – James leu da etiqueta amassada – 236 Leste, Rua 74, Apartamento 5D.

Não! Não diga a ele! Marvin correu para a mão de James.

– É o original. Eu sei que é. Eu... não posso explicar pelo telefone. Por favor, passe para o meu pai. – Houve uma longa pausa. – Ah, disse James – É? Tudo bem, mas você conta para ele e para Christina também? E por favor, você vem depressa? Eu não sei quando esse cara vai voltar.

Desligou e olhou triunfalmente para Marvin.

– Conseguimos! – exultou, dançando em volta da mesa. – Papai e Christina não estavam lá, tinham ido me procurar, mas

Denny vai procurá-los e contar-lhes e então todos virão para cá. Tudo vai ficar bem.

Oh, não! Marvin caiu no desespero. Isso era impossível. Como poderia fazer James entender que estavam em terrível perigo?

Ninguém sabia que estavam aqui a não ser Denny. E Denny, o verdadeiro ladrão, estava a caminho do apartamento. Com certeza, não diria nada a Karl nem a Christina. Marvin tremia. O que faria com os desenhos quando chegasse aqui? Mais importante, o que faria com James?

James levantou sua mão e olhou para Marvin, inclinando a cabeça para um lado.

– O que foi, carinha? Você não parece muito feliz.

Marvin respirou fundo, tentando afastar seu desespero. Teria de convencer James a sair do apartamento. E a levar os desenhos com ele! Mas como?

Correu até a ponta do dedo de James e movimentou suas pernas dianteiras.

– Aonde você quer ir agora? – James perguntou, olhando para ele confuso. – Acho que devemos apenas esperar que todos cheguem aqui.

Marvin continuou a fazer gestos em direção à pasta.

James, em dúvida, foi até o armário e agachou-se no chão, estendendo sua mão para que Marvin pudesse desembarcar. Marvin rastejou direto para a parte da pasta com o fecho e a alça, e esperou ali, ansioso.

– Você quer que eu a feche outra vez? – James perguntou.

Marvin subiu em um dos fechos.

– Por quê? Denny e meu pai e Christina estão vindo para cá. Não podemos deixá-los fazer isso?

Marvin bateu suas pernas dianteiras, imperativamente. James parou.

– Tenho receio de danificar o desenho. – Quando Marvin não se mexeu, suspirou. – Você às vezes é bem mandão, sabia? – Arrumou as folhas do embrulho. – Mas acho que até agora você estava certo na maioria das vezes. E foi você que encontrou os desenhos.

Suspirou de novo.

– Está bem, cuidado.

Com atenção, passou as folhas de papel sobre *Fortaleza* e, enquanto Marvin se agarrava no fecho, fechou a pasta.

Marvin estava prestes a pular quando viu uma coisa sob a alça da pasta. Impresso no couro gasto, com um leve toque dourado. O que era?

Letras, ele percebeu. Três letras. Borradas, quase não reconhecíveis.

Alguma coisa se agitou na parte remota do cérebro de Marvin; alguma coisa do mundo humano. Três letras nas toalhas de banho da Sra. Pompaday. Três letras nas abotoaduras de prata do Sr. Pompaday. Três letras no estojo de desenho que Karl deu a James de aniversário. ("Veja, suas iniciais, assim todo mundo saberá que o estojo é seu.")

Iniciais. As iniciais de Denny.

Marvin ficou louco. Pulou no ar, rolou, agitou todas as suas pernas, e girou em um círculo maluco. *Aqui! Olhe, James! Agora você vai saber!*

As letras estavam tão apagadas e pequenas que só um besouro as teria notado. Um besouro e um garoto que sempre prestava atenção.

– Você está fazendo aquilo de novo – disse James,

espantado. – Acalme-se! O que está errado com você? Talvez você esteja tendo um ataque, como Billy Dunwood depois que foi atingido naquele jogo de beisebol do verão passado.

Marvin foi direto para as iniciais e bateu suas pernas dianteiras no couro.

– Ah, – disse James. – Sim, estou vendo. As iniciais de alguém. – Curvou sobre a pasta e examinou. – E daí? Nem consigo ver direito. "D", alguma coisa. "D.E.M." É isso que você quer que eu veja? Por quê? Por que isso é importante?

Marvin ficou exatamente onde estava, determinado a não se mexer até James fazer a conexão. Continuou a bater suas pernas dianteiras.

– D.E.M. Muito bem. Quem é esse? – James perguntou. – Suponho que não seja Gordon Perry. Mas poderia ter pedido emprestado a pasta de outra pessoa. Ou talvez esse seja o cara que o ajudou a roubar o desenho.

Marvin girou em um círculo e balançou loucamente as pernas.

— É isso? Este é o cara que o ajudou a roubar *Fortaleza*? Certo, mas não conheço ninguém com as iniciais...

James parou. Examinou a parte de cima da pasta, colocando-a em ângulo.

— O que é isso? — perguntou, passando o dedo sobre uma insígnia quadrada impressa no couro. Marvin também viu, na tampa da pasta, uma pequena chapa de metal com símbolos dentro dela.

— Também são letras — disse James. — G-E-T-T-Y — leu. — Getty. Espera, esse não é o museu de Denny? Na Califórnia?

— Seus olhos cinzas se arregalaram.

Virando-se para Marvin, murmurou. — Qual é mesmo o sobrenome de Denny? Mac — qualquer coisa, MacGuffin. — Balançou a cabeça. — Mas por que ele... ele não poderia. Foi ele quem...

Por favor, Marvin implorou em silêncio. Se leitura de mente existia, precisava que James fizesse isso agora.

James parou de novo, depois prendeu a respiração.

— Oh, puxa! Se *é* o Denny, ele está vindo... Temos que sair daqui!

Sim! Finalmente, entendeu. Marvin pulou na mão estendida de James e se enfiou debaixo do punho de sua jaqueta. Em pânico, James agarrou a alça da pasta e correu para a porta do apartamento.

Correram para o corredor justo quando o elevador soou.

— E se for Denny? — James sussurrou, frenético. Virou-se — Temos que descer pela escada. Onde estão elas?

Quando a porta do elevador começou a abrir, correu pelo

corredor em direção a uma grande porta de metal com um sinal vermelho aceso.

Rápido, pensou Marvin, *rápido*!

James empurrou a porta e entrou em um vão de escada estreito e escuro. Disparou pelo primeiro lance das escadas, a pasta batendo em sua perna.

— Espero que não tenha nos visto. Espero que não tenha

nos visto – ficava sussurrando para Marvin, como um encantamento mágico, enquanto corria pelo vão e pagava o segundo lance, dois degraus de cada vez. Marvin agarrou-se no tecido da jaqueta, batendo sem parar no pulso de James, louco de vontade de ver se estavam sendo seguidos.

Finalmente, chegaram ao piso térreo e dispararam pelo saguão.

James correu para a saída, empurrou a porta maciça da frente, e desceu correndo os degraus até a calçada. Do lado de fora, parou um momento, depois foi caminhando pela rua através da neve que caía com rapidez.

■ ■ ■

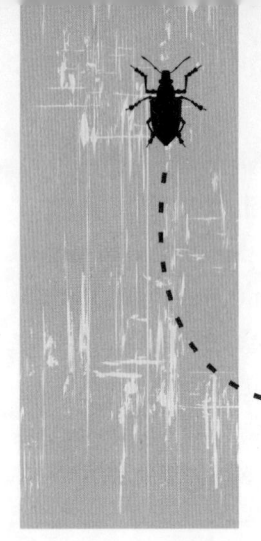

34 - Reunião

Marvin se encolheu com o frio e desceu um pouco mais por baixo do punho da jaqueta, apenas o suficiente para pôr a cabeça de fora e olhar. Estava tão exausto pelo prolongado esforço com a linguagem de sinais que mal podia pensar no que fazer a seguir.

Por sorte, James parecia cheio de determinação. Puxou o capuz sobre sua cabeça e disse a Marvin: – Temos que ligar para meu pai. Talvez seu celular esteja funcionando agora. É melhor que esteja.

Caminhou rápido pela calçada escorregadia até um restaurante na esquina. Lá dentro, uma recepcionista estava de pé na entrada com um maço de menus na mão.

– Hum, desculpa – James disse, tímido. – Será que eu... você acha que eu poderia...

A mulher se curvou, sorrindo.

– O que é, meu bem? Onde está sua mãe? Você veio se encontrar com alguém aqui?

James balançou a cabeça, ruborizando.

– Eu poderia usar o telefone? Por favor?

– Ah! Você está perdido? Claro que pode. Venha aqui. – Chamou-o para trás da escrivaninha e levantou o fone, pressionando um botão. – Aqui, esta é a linha para fora. Você sabe o número do telefone?

James assentiu, mordendo o lábio. Rapidamente, discou.

Marvin escutou seu suspiro alegre, e sentiu uma onda de alívio.

– Papai! Papai, é você! – Houve uma longa pausa no lado de James enquanto as exclamações ansiosas de Karl jorravam pela linha telefônica. – Não, eu estou bem, papai. Tudo está bem. Desculpa. Desculpa, eu – Não, eu não estou no museu – Papai, escute. – Marvin ouviu o gemido frustrado de James. – Papai, espere no escritório de Christina. Vou direto para lá, está bem? Fique esperando lá. – James colocou o fone de volta no receptor e virou-se para porta.

– Aonde você vai, meu bem? – a recepcionista perguntou. – Não quer esperar aqui?

– Não, está bem – James murmurou. – Obrigado por me deixar usar o telefone. – Sem jeito colocou a pasta de lado enquanto estendia a mão para a maçaneta da porta.

– Mas – começou a protestar. Antes que pudesse pará-lo, James escapuliu para a rua.

Correu por todo o trajeto até o museu, os tênis batendo no pavimento molhado, Marvin agarrado em seu pulso. Só parava para os sinais da rua na esquina de cada quarteirão. Estava anoitecendo agora, e o céu cinzento algodoado tinha escurecido, rendendo-se ao azul escuro de outra noite de inverno. A neve caía sem parar, no começo, derretendo ao chegar ao chão, depois gradualmente polvilhando e cobrindo tudo que tocava. De seu esconderijo, Marvin observava esta transformação de olhos arregalados. Quando chegaram ao museu, um véu branco envolvia a cidade, suavizando suas arestas, aquietando seus sons, tão bem-vinda quanto uma benção.

Assim que James passou pela entrada da frente do museu, foi parado por um dos seguranças.

– Espera aqui, filho – o homem disse, batendo uma mão gorducha em seu ombro. – Qual é seu nome?

– James Terik – respondeu nervoso.

— Pensei que fosse você! — o guarda sorriu. — Seu pai vai ficar extremamente contente em vê-lo. A segurança andou vasculhando o local. Foi bom terem nos falado a cor da jaqueta que você estava usando. — Desprendeu um rádio transmissor de seu cinto e falou: — Ed? Estou com o menino Terik. Sim, bem aqui na entrada principal. Eles estão? Muito bem, vou levá-lo até lá.

Virou-se para James.

— Seu pai está lá em cima no escritório da Senhorita Balcony. Vamos. O que você tem aí? — Apontou para a pasta.

— Ah... só uma coisa para meu pai — James disse, rapidamente.

Quando James entrou pela porta do escritório de Christina, foi imediatamente engolfado pelo abraço apertado de Karl, e Christina se lançou sobre eles.

— James! James, onde você estava? Você me deu um susto, companheiro! Pensei que alguma coisa tivesse lhe acontecido. — Karl se agachou, apertando os ombros de James. — Você não pode sair assim. Procuramos você por todo lado.

Marvin, espiando por debaixo do punho da jaqueta, podia ver que o lindo rosto de Christina estava cheio de preocupação.

— Ah, James, estou tão contente por você estar bem! Nós já perdemos coisas demais hoje.

— Eu sei, desculpe — disse James, apertando-se contra o peito do pai — mas era uma coisa importante. Eu — respirou fundo e deu um passo atrás, olhando para os dois. — Eu encontrei *Fortaleza*.

— O QUÊ? — Christina e Karl falaram em uníssono, olhando para ele.

– Aqui – James disse simplesmente, levantando a pasta. Ela balançou no ar, desgastada e sem valor. Ninguém fez um gesto para pegá-la.

– Olhem dentro dela – disse James.

Karl franziu a testa, pegando a pasta e colocando-a sobre a mesa. Afastou o fecho e a abriu, olhando para as camadas de papel protetor.

– O que é isso? – perguntou a James. – De quem é isso?

A testa de Christina se enrugou.

– É de Denny... não é? Onde você pegou isso, James?

– Olhem – James disse outra vez.

Foi Christina que se aproximou, levantando o embrulho protetor. Subitamente, parou, sua mão apertando a borda da mesa.

Marvin disparou pela manga de James até sua gola para ver melhor.

– Karl – disse Christina.

– O que é?

– Faça isso.

Karl tirou a última folha.

– Oh, meu Deus – disse.

Continue, Marvin queria dizer. Você está prestes a ver as quatro *Virtude*s juntas pela primeira vez em décadas. Séculos talvez.

Mas Karl não precisava de estímulos. Com delicadeza, segurando a respiração, pegou o pequeno desenho. Virou-se para Christina.

– É o original, não é?

Não conseguia tirar os olhos dele. Quando ela assentiu, ele tirou as outras folhas.

– Ah, meu Deus – disse outra vez. – Christina... Christina, são todos eles.

Marvin viu os joelhos de Christina baterem, e Karl pegou seu cotovelo para impedi-la de cair.

– Como pode ser? – Perguntou, sua voz quase inaudível.

– Eu não sei – disse Karl, virando-se para James, que estava ao lado dele, seu rosto uma mancha de confusão. – Mas é verdade. Olhe. – Colocou os quatro desenhos em uma fileira na mesa. – *Fortaleza. Temperança. Prudência. Justiça.*

– Ah! – Christina arfou.

Karl manteve o braço em volta dela, segurando-a. Olhou para James atrás de uma explicação.

James, rosto vermelho e olhos arregalados, olhava para os desenhos. Marvin se espremeu debaixo da gola, com medo de se mexer.

Christina inclinou-se sobre a mesa, seus olhos seguindo cada linha fantástica.

– Não posso acreditar...

As palavras ficaram presas em sua garganta.

– Todos os desenhos estão aqui!

■ ■ ■

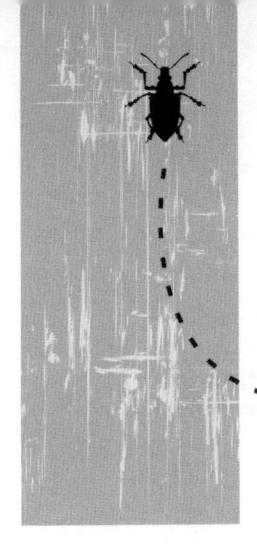

35 - O Ladrão das Virtudes

Olhavam fixo para as quatro *Virtude*s de Dürer. Marvin sentiu outra vez a emoção que o envolvera quando as viu pela primeira vez no estúdio de Denny.

Karl examinava as imagens em miniatura.

– Você tem certeza que são as originais? – perguntou Christina. – As que foram roubadas?

Christina assentiu, incapaz de falar. Seus olhos passavam de uma figura para a outra, parando na *Justiça*.

– Olha – disse. – Pensei que nunca mais fosse vê-la.

Caminhou ao longo da beirada da mesa, segurando a respiração.

– E *Prudência*! E *Temperança*! Estão desaparecidas há mais de dois anos.

Juntos, finalmente, os desenhos tinham uma energia pulsante que enchia o cômodo como uma música em elevação. Evidentemente, eram os originais, Marvin pensou. Não havia como confundi-los.

Christina virou-se para James.

— Como... eu não entendo. Como você os encontrou? James mordeu os lábios.

— Onde você achou esta pasta, James — Karl perguntou, devagar.

James passava de um pé para o outro, seus olhos cinzas ansiosos.

— Foi num apartamento — disse, finalmente.

Tirou a etiqueta amarfanhada de bolso do jeans e a colocou na mesa.

Christina a pegou, sua testa se franzindo.

— Este é o apartamento de Gordon Perry.

James vacilou.

— Acho que foi ele quem levou os desenhos.

— Agora, espere aí... quem é Gordon Perry? — perguntou Karl.

— Um dos nossos curadores — disse Christina. — Mas o que você quer dizer, James? Gordon está em Florença, ajudando no trabalho de restauração do Uffizi. Está lá há um mês. Denny está no apartamento dele.

James mordeu seu lábio inferior, olhando para ela.

— Onde está Denny? — Karl perguntou, impaciente. — Temos que contar a ele o que aconteceu.

— Sim, claro, vou ligar para ele. — Christina levantou o fone de sua escrivaninha.

— Ele já sabe — disse James.

Tanto Christina quanto Karl se viraram para James, olhando-o tão intensamente agora que Marvin se sentiu obrigado a se enfiar direito sob a gola de James para não ser visto.

– Do que você está falando? – perguntou Karl.

James engoliu e olhou para o chão, Christina abaixou-se na frente dele, sua voz persuasiva.

– James, o que foi?

– Eu já contei para Denny. Eu telefonei para cá e contei para ele sobre *Fortaleza*, e ele disse que ia chamar você... – James parou. – Mas não chamou.

Christina pôs suas mãos nos ombros dele e o olhou firme em seus olhos. Marvin encolheu-se com a aturdida sinceridade no rosto dela. Como pôde duvidar dela? Sentiu uma onda de culpa. Ela merecia uma resposta honesta. Mas o que James diria? Era tudo muito difícil de explicar.

– James, você tem de nos contar o que está acontecendo – Christina continuou. – Como você encontrou esses desenhos? Por que você está com essa pasta?

– Escutem – James começou, e Marvin sabia que ele estava juntando os detalhes em sua cabeça, sua imaginação esforçando-se para cobrir cada pausa. – Quando chegamos esta manhã e Christina nos mostrou meu desenho, achei esse endereço. Bem aqui, enrolado... no chão. – James apontou vagamente para baixo da mesa. – Eu tive essa sensação estranha. Não consigo explicar. Imaginei que o endereço tinha alguma coisa a ver com o desenho. Pensei que talvez tivesse caído do papel, sabem do embrulho que devia estar com a verdadeira *Fortaleza*. – James olhou para eles, com desespero.

Até Marvin ficou confuso neste ponto, e podia ver nos rostos de Karl e Christina que estavam completamente desconcertados. A história soava cada vez mais implausível à medida que James falava.

– Seja como for – James continuou pouco convincente,

olhando para o chão – era como uma etiqueta do correio. Parecia importante. Mas achei que vocês não me acreditariam se lhes dissesse, papai, então foi por isso que saí sem dizer nada. – Respirou profundamente e continuou com o resto da história.

– E então encontrei *Fortaleza* nesse apartamento. Tentei telefonar para você, papai, mas seu celular não estava funcionando. Então, tive que ligar para cá, e Denny atendeu o telefone. Foi, não sei, quase uma hora atrás. Eu disse onde estava, e contei a Denny sobre o desenho. E ele... ele disse que diria para vocês e que todos vocês iriam para lá imediatamente.

James parou, levantando os olhos devagar para os rostos dos dois.

– Mas ele não contou para vocês, não é? Acho que não contou porque foi ele quem roubou os desenhos. Estavam no apartamento desse tal de Gordon Perry. Na pasta do Denny.

– James – disse Karl. Sua voz estava mais séria do que jamais Marvin escutara. – Esta é uma acusação terrível de se fazer.

– Eu sei, papai, mas...

Karl balançou a cabeça.

– Denny é meu amigo há anos. Tenho certeza que isso tem uma explicação.

James olhou desconsolado para a pasta.

– Olha, ela tem a marca do museu Getty... e as iniciais de Denny. – Murmurou, fazendo um gesto.

Christina ainda estava agachada perto dele, mas seu olhar voltou para a pasta, depois para os desenhos. Ficou em silêncio por um longo tempo.

– Denny ajudou em todos os momentos – disse, finalmente. – Conhecia todos os detalhes do planejamento para o roubo... a hora, onde o microchip estaria escondido, o nome do agente secreto do FBI.

– E daí? Você também sabia de tudo isso.

Christina balançou levemente a cabeça, como se estivesse tentando decifrar alguma coisa.

– É de Denny que estamos falando! – Karl protestou.

– Sim – disse Christina, levantando-se. – Ele estava comigo na noite em que troquei os desenhos. Éramos os únicos no museu naquela hora, além da equipe de segurança.

– Certo – disse Karl. – Mas isso não faz dele um ladrão.

– Quando fizermos a troca, eu trouxe o Dürer original aqui para meu escritório. Denny estava comigo. Eu o embrulhei, e... ah, eu não sei, como seria possível. É *Denny*, ele não faria uma coisa dessas.

– Não! Ele não é um ladrão.

– Mas escute – Christina disse, ponderando. – Ele estava comigo, mas também ficamos, não sei, separados em momentos diferentes. Ele pode ter trocado os embrulhos. Foi ele quem pendurou o desenho de James na galeria enquanto eu levava o Dürer original, ou o que pensei ser o Dürer original, até o quinto andar, para o cofre do escritório do diretor.

– Christina – Karl interrompeu.

– Eu sei, eu sei. É tão difícil acreditar. – Caiu no silêncio outra vez, olhando para os desenhos. – Karl... hoje, quando lhe contei que *Fortaleza* tinha desaparecido... tinha uma coisa errada na maneira como ele reagiu. Ficou transtornado, é verdade, mas parecia quase mais preocupado comigo. E fiquei pensando. "Isso é tão estranho, uma das obras valiosas do

Getty pode ter sido perdida para sempre, e ele está me dizendo que sente muito."

– Bom, claro, ele *estava* sentindo – Karl exclamou. – Ele ama as obras de Dürer, e sabe que você também.

– Sim – disse Christina, suspirando. – Esta é a pasta dele, tenho certeza disso. – Veja, D.E.M, e o logotipo do Getty. – Levantou o telefone. – Acho que temos que conversar com o próprio Denny.

James a observou, ansioso, e Marvin esticou um pouco mais sua cabeça, querendo ouvir o que Denny teria a dizer.

Christina franziu os lábios.

– Ele não está atendendo o celular. – Depois de um minuto, disse. "Denny, oi, é Christina. Por favor me liga assim que receber esta mensagem. É importante." Virou para Karl. – Vamos tentar o apartamento – disse, discando outra vez.

Karl e James ficaram tensos, esperando. Depois de um minuto, balançou a cabeça.

– Também não atende lá.

Christina desligou o telefone, seus olhos voltados para *Fortaleza*.

– Estava tão ocupada todo o dia de ontem, falando com o FBI, cuidando das coisas. A maior parte do tempo, nem estava no museu. É claro que não pensei que precisasse verificar outra vez o desenho. Fomos tão cuidadosos no meu escritório. E confiei nele! Completamente. Até lhe pedi várias vezes para verificar se estava tudo bem, e ele disse que tinha verificado.

Karl balançou a cabeça.

– Eu não acredito. Denny... é um homem bom. É tão devotado a Dürer quanto você.

Christina assentiu.

– Até mais.
– Então, por quê? Por que arriscar toda a sua carreira, para não dizer a prisão?
– Ele irá para a cadeia? – James interrompeu, de olhos arregalados.

Talvez ele mereça ir para a cadeia, pensou Marvin.

Mas Karl não respondeu, ainda concentrado em Christina.

– E uma questão prática, onde conseguiria o dinheiro para comprar um desses?

Christina hesitou.

– Bom, Denny é de família rica. E quem sabe? Talvez seja o intermediário de outra pessoa.

Marvin pensou no que ocorrera no apartamento, na conversa de Denny com a mulher com o nome de som engraçado. Alguma coisa sobre irem buscá-lo no aeroporto.

– No mercado negro – Christina continuou –, os desenhos custariam bem menos do que seu valor real. Dürer não é nem de perto tão conhecido quanto os maiores nomes da *Renaissance*, e não poderiam ser vendidos legalmente em nenhum lugar.

Karl caminhava pela sala, enquanto James olhava para os dois com seus olhos enormes.

– Mas isso não faz sentido. *Fortaleza* estava no Getty. Por que não roubá-lo de lá? Por que esperar até ele vir para o outro lado do país?

– Esta é a parte que *faz* sentido – disse Christina, lentamente.

– Era muito menos provável que ele fosse pego aqui. O desenho estava emprestado para o Met, nós éramos os responsáveis. Oh, meu Deus! – Cobriu a boca. – *Justiça*! Denny estava aqui em Nova York quando foi roubada. Estava em uma conferência. Veio ao Met o tempo todo naquela semana. Tinha completo acesso aos departamentos. Fiz questão disso. – Balançou a cabeça. – Não poderia ter facilitado mais as coisas para ele, mesmo se tentasse.

– Você acha que ele roubou todos os desenhos? – Karl perguntou, perplexo.

– Eu não sei – Christina disse, pensativa. – Talvez tenha contratado pessoas para roubar os dois primeiros. – Sem energia, colocou a mão perto de *Fortaleza*. – Essa, foi como se eu a tivesse oferecido a ele embrulhada em papel de presente.

James olhava de um para outro, e Marvin podia ver que seu rosto pálido estava preocupado e cansado. O dia tinha sido longo.

– Mas você disse que ele não poderia vendê-los, certo? – perguntou. – E não poderia mostrá-los para ninguém nem dizer que estava com eles porque a polícia iria atrás. Então, por que fez isso?

Os olhos de Christina passaram pelas quatro pequenas imagens.

– Talvez só quisesse juntá-las... para si mesmo.

Marvin lembrou de Denny no estúdio escuro, olhando para os desenhos com lágrimas nos olhos.

– E agora o que vai acontecer? – Karl perguntou a Christina. – Você vai chamar o FBI?

– Se isso for verdade... – Christina sobressaltou-se. – Você pode imaginar as manchetes amanhã? Vai ser péssimo para ele. E para os dois museus também. Para todos.

– Mas ele irá para a cadeia? – James perguntou de novo.

Karl e Christina ficaram em silêncio. Depois de um minuto, Karl disse:

– Olhe para a expressão no rosto de *Justiça* – disse. – É por isso que ela parece tão triste.

James ergueu os olhos para seu pai, e Karl explicou.

– Porque a coisa certa a se fazer pode ser terrível às vezes.

Parecia não haver mais nada a dizer. Marvin agachou-se debaixo da gola de James, o coração pesado.

Karl passou seus dedos pelo cabelo.

– Devemos chamar o FBI. Contar a eles sobre os desenhos. – Olhou para James. – Ainda não entendo como você os encontrou, James. Como foi que você entrou no apartamento sozinho? Como sabia que estavam lá?

James virou-se, constrangido, evitando os olhos do pai.

– Foi como eu disse, encontrei o endereço e simplesmente soube – respondeu, baixinho. – E então, quando cheguei lá, usei um clipe de papel para...

– *O quê?* – o queixo de Karl caiu. – Você arrombou a fechadura?

– Mais ou menos – disse James. Rapidamente, virou-se para Christina, e Marvin viu que estava tentando mudar o assunto. – Por que você não pode apenas entregar os desenhos de volta? Essa é a coisa importante, afinal. Por que você tem que contar à polícia sobre Denny?

Christina tocou gentilmente o cabelo dele.

– Foi um crime, James. Pense nas virtudes de Dürer... Prudência, Temperança, Fortaleza, Justiça. Acima de tudo, Justiça. Você não acha que temos o dever de honrar esses ideais?

James olhou preocupado para Karl.

– Mas essas não são as únicas coisas boas. E defender alguém? Isso também não é importante? Denny é um amigo seu.

Mas ele fez uma coisa ruim, Marvin queria protestar. Não podia esquecer a onda de raiva que sentiu ao escutar o lado de Denny na conversa por telefone quando Christina contou-lhe que o desenho original tinha sido roubado. Denny mentiu para ela. Manipulou todos eles.

Mas, então, Marvin lembrou que James não sabia disso. James pensava nele apenas como o homem gentil, amarrotado, que adorava os desenhos de Dürer.

Christina se virou para Karl.

– Os gregos diziam que as quatro virtudes continham todo o resto, lembra?

Karl balançou a cabeça.

– Mas não contêm. Denny é um bom amigo. Não posso acreditar que tenha feito isso, mas se fez... e a compaixão? E o perdão?

Marvin foi outra vez um pouco para frente para olhar para as quatro miniaturas. Em suas linhas firmes, certas, nenhum desses desenhos capturava o perdão. As imagens tinham a ver com força e autocontrole: a moça lutando com o leão, a moça medindo o vinho, a moça recusando o pretendente alado, a moça controlando a espada. Perdão era algo mais delicado e generoso; era uma coisa que você oferecia a outra pessoa, e não algo que exigia de si mesmo.

Christina olhou para ele por um momento, depois disse com gentileza:

– É um crime. E não depende de nós. – Pegou o telefone. – Quem sabe? Talvez esteja errada. Talvez exista uma explicação que não sabemos. Mas temos que contar ao FBI e deixá-los tomar a frente a partir daqui.

Ao discar, sussurrou:

– Não é espantoso ver as *Virtudes* juntas assim, justo como Dürer pretendia?

Marvin examinou cada desenho, resplandecentes em seus detalhes. Tanta confusão humana sobre algo tão pequeno. Era de alguma forma animador para ele.

Karl puxou James para perto, apertando seus ombros.

– O FBI vai querer falar com você, companheiro. Mas, agora, vamos para casa. Arrombando fechaduras, encontrando obras roubadas... eu diria que seu trabalho aqui terminou.

Casa, Marvin pensou. Imediatamente, foi dominado por uma grande saudade da Mama e do Papa, de sua cama de bola de algodão e seus parentes sufocantes e super envolventes – até de Elaine. Mal podia esperar para voltar ao lugar onde pertencia.

■ ■ ■

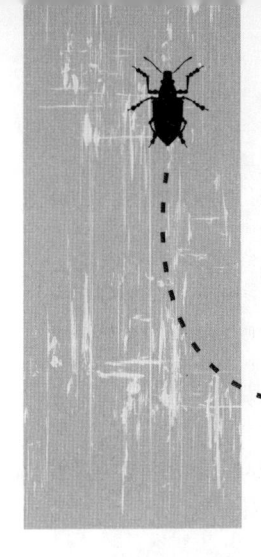

36 - Retorno Seguro

A volta de Marvin a sua casa foi um assunto dramático, cheio de exclamações e recriminações, abraços e sonoros "eu-lhe-avisei". Quando James, por fim, o abaixou no piso do armário escuro e ele rastejou pela parede de gesso até sua própria sala de estar, instantaneamente foi engolfado por uma multidão de parentes ansiosos, que estenderam dúzias de pernas para dar palmadinhas em sua carapaça e afagar seu queixo.

– Marvin! – Mama e Papa exclamaram simultaneamente, correndo para ele. Não paravam de abraçá-lo, claramente vencidos pela culpa de terem, na verdade, dado permissão para sua última e mais perigosa saída.

– Meu garoto, pensamos que você tivesse se acabado! – Tio Albert ribombou. – Esse negócio de sair de casa para ajudar os humanos foi longe demais.

– Realmente foi – concordou a avó de Marvin. – Você não aprendeu nada com a experiência dos mais velhos, menino querido? Você tem que parar de se meter com os assuntos humanos! Nada de bom virá disso.

Os olhos de Elaine estavam enormes.

– Ah, Marvin, você não sabe como ficamos todos assustados! – exclamou. – Poxa, sabia que alguma coisa terrível tinha acontecido com você. Quando me disseram que você tinha voltado para o museu outra vez, disse, "Ele vai acabar afogado naquele tinteiro..."

– Para com isso, Elaine – interrompeu tia Edith.

Marvin pensou em Elaine no tanque da tartaruga e falou consigo mesmo, "Você sabe que sou um ótimo nadador".

Mas aceitou a bronca preocupada deles sem se queixar. Estava começando a entender que algumas das coisas mais irritantes que sua família fazia nasciam do mais profundo amor. E de repente sentiu que era maravilhoso eles se preocuparem com ele e o cumularem de atenção, e ser objeto de todo aquele bagunçado carinho. Marvin recordou sua jornada solitária com *Fortaleza*, quando pensou que talvez nunca mais visse Mama e Papa e seus parentes. Compreendeu que era disso exatamente que sentira tanta falta – a grossa rede de afeto que o unia a todos. De uma maneira fundamental, fosse o que fosse de terrível ou maravilhoso que lhe acontecesse, sempre parecia ter acontecido a todos eles também.

E assim Marvin foi obrigado a passar a noite contando tudo sobre suas aventuras, cada detalhe excitante ou pavoroso: sobre o roubo, a viagem na escuridão pela cidade com *Fortaleza*, a descoberta dos outros três desenhos das *Virtude*s, a revelação chocante de ser o próprio Denny quem planejara os roubos.

Entre as milhares de perguntas e discussões que isso provocou, Mama e tia Edith não paravam de guarnecer a mesa com travessas de comida – cascas de batata, lascas de atum, uma casca de laranja e migalhas de torradas com uma geleia de ruibarbo verdadeiramente deliciosa – de maneira que por volta da meia-noite, todos estavam bem alimentados e prontos para uma soneca.

– Você precisa descansar, Marvin – Mama disse, decidida. – Todo esse alvoroço é demais para você.

– Estou mesmo cansado – admitiu.

Elaine o seguiu até o quarto.

– Você é tão sortudo – disse, com cuidado em falar baixo para os adultos não escutarem.

Marvin assentiu.

– Eu sei. Pensei que talvez nunca voltasse aqui.

– Não estou falando disso – disse, dispensando. – Estou falando que você é sortudo por ter saído do apartamento outra vez. Você viu o mundo!

Marvin pensou sobre isso. Ele *tinha* visto o mundo. Foi assustador, às vezes, mas também divertido. Quem poderia imaginar que o mundo seria um lugar tão complicado e interessante? Elaine estava certa – era sortudo. Quando você via partes diferentes do mundo, via partes diferentes de si mesmo. E quando você ficava em casa, onde ficava seguro, essas partes de si mesmo também ficavam escondidas.

Foi só bem mais tarde, no dia seguinte, que Marvin teve uma oportunidade de visitar James outra vez. Foi até seu quarto e o encontrou debruçado sobre a escrivaninha, desenhando com sua pena e tinteiro. As figuras não pareciam em nada com as de Marvin. Os traços eram grossos e pouco firmes. As coisas que desenhava tinham um ar abstrato, desarticulado: o esboço angular de uma cadeira; os galhos grossos, denteados, da árvore do lado de fora da janela. James estava tão concentrado que não viu Marvin chegar até a beira do papel e ficar ali, observando. Quando o menino finalmente o notou, sufocou um grito contente e abaixou sua pena, envergonhado.

– Ei! – disse. – Carinha! Nunca sei quando você vai aparecer. Temos que imaginar um jeito de chegar até você, sabe? Por exemplo, se eu tiver uma mensagem especial para você, talvez possa deixar alguma coisa no armário, assim você sabe que é para vir aqui. Ou, se você realmente precisar de mim, você pode fazer a mesma coisa. – Pensou por um minuto. – Uma coisa pequena... Já sei!

Rasgou a ponta do papel que estava desenhando e fez um X de tinta.

– Vamos colocar isso no armário da cozinha atrás da lixeira, bem perto de sua casa. Vamos deixá-lo com esse lado para baixo a menos que um de nós precise ver o outro, então a gente vira para o lado do X. E se estiver virado, nos encontraremos aqui na minha escrivaninha à tarde. Combinado? Vamos dizer, quatro horas, porque sempre a essa hora já estou em casa de volta da escola.

James assentiu enfaticamente, satisfeito consigo mesmo. Marvin sorriu para ele. Não eram capazes de falar um com o outro, mas havia tantas outras maneiras de dizer o que queriam.

James apontou para seu desenho.

– Veja o que estou fazendo. Nunca serei tão bom quanto você... mas eu gosto. É divertido.

Abaixou o dedo e Marvin subiu.

– E adivinhe o quê. Tenho muita coisa pra te contar. Tive que ir até a delegacia! Tinha uma cela e tudo! E falei com o FBI. – Seu rosto ficou momentaneamente sombrio. – Acho que eles não acreditaram em mim, exatamente, quando disse como descobri os desenhos. Mas Christina meio que tomou conta, e falou para eles do Denny, e então eles me deixaram voltar para casa.

James inclinou-se mais perto de Marvin, abaixando a voz.

– O FBI não achou Denny em nenhum lugar. Quando

chegaram ao apartamento, ele havia levado todas as suas coisas. Pode ter saído do país! Acham que ele foi para Alemanha. Christina continuou ligando para o celular dele, mas não atendeu. – James suspirou. – Eu sei que o que ele fez foi errado e tudo isso, mas eu ainda meio que espero que não seja preso.

Então, riu de repente.

– Mas adivinhe só. Os desenhos estão em todos os jornais. Não estão dizendo como foram encontrados, mas fizeram um monte de especialistas examiná-los, e foi toda uma confusão. Todo mundo da TV está falando disso. Fizeram uma entrevista com um dos caras da Alemanha, do museu de onde os outros dois foram roubados, e ele ficava dizendo algo parecido com "Wunderbar! Wunderbar!". Meu pai disse que significa "Maravilha!".

Marvin pensou que, para o pessoal do museu, devia ser um sonho que se realiza, ter todas as quatro *Virtud*es de Dürer, há tanto tempo perdidas, de volta de uma vez só.

James levantou Marvin até bem perto do seu rosto, sorrindo para ele.

– E tudo isso por nossa causa! Bom, mais sua. Mas eu ajudei. E Christina disse que eles obtiveram permissão de colocar todos os desenhos em uma exposição especial, antes de as enviarem de volta. Então, eles as penduraram esta manhã, e papai acabou de ligar e disse que as filas para entrar no museu estão dando volta no quarteirão. Nós vamos, todos nós, esta tarde! Não é ótimo?

James respirou fundo.

– Então, você tem de vir também, claro. Você é como um herói vivo e verdadeiro! – Abaixou Marvin, olhando-o orgulhoso. – Ninguém nunca saberá. Mas você é.

Não importa, pensou Marvin. *Você sabe.*

Por mais assustador que tenha sido em alguns momentos, toda a aventura tinha sido algo a dividir com James. Era um segredo dos dois.

■ ■ ■

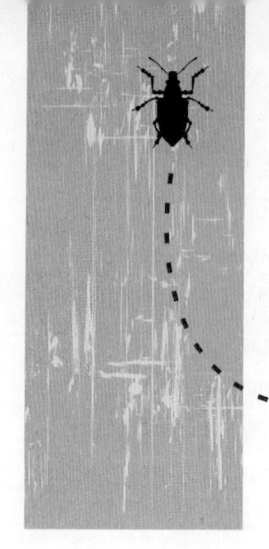

37 - O Dom de James

Foi um grupinho estranho que entrou na Galeria de Desenhos e Gravuras do Met no final daquela tarde para ver as miniaturas de Dürer recém-reunidas. Escoltados por um guarda do museu, que os cumprimentou em uma entrada lateral, para que pudessem evitar a multidão, Karl, James (com Marvin enfiado seguramente debaixo do punho de sua jaqueta, depois de ter jurado à Mama e Papa que não sairia daquela posição durante todo o passeio), e o Sr. e a Sra. Pompaday, empurrando William em seu carrinho, esperaram Christina na frente da exposição.

Embora ela tivesse escutado apenas os detalhes gerais da recuperação dos desenhos, a Sra. Pompaday mal podia conter o orgulho quanto ao envolvimento do filho – mesmo no que imaginava ter sido de uma maneira secundária. Ficava toda importante batendo nas costas do filho e procurando os jornalistas em volta.

– Será que alguém virá entrevistá-lo, James? Bem que

deveriam! E claro, depois que esse negócio com o museu passar, espero que você volte a trabalhar em seus próprios desenhos. É onde está a verdadeira oportunidade. Quatro mil dos Mortons! Pense só no que as outras pessoas pagarão por seus desenhos extraordinários.

O Sr. Pompaday concordando, contente.

– Tenho alguns amigos no trabalho que podem se interessar. Excelente maneira de formar seu fundo para a universidade, James.

Marvin sobressaltou-se, enquanto as bochechas sardentas de James ficavam rosa escuro.

– Não sei se vou continuar fazendo aqueles desenhos – disse. – Eles precisam de muito tempo.

– O que você quer dizer? – sua mãe exclamou. – São maravilhosos! Você não pode parar, James. Poxa, isso é seu dom.

– Eu sei, mas estava pensando em fazer desenhos maiores...

– Não, não, não – sua mãe protestou. – É o tamanho pequeno deles que os faz tão maravilhosos.

Marvin gemeu por dentro. Como ele e James resolveriam essa questão? Não poderia continuar falsificando quadros. Pense só na confusão que isso já havia criado para eles... ainda que tivesse levado ao retorno dos desenhos roubados.

Karl os interrompeu.

– Talvez queira dar um tempo. Todos os artistas precisam disso às vezes.

– Ah, eu não acho que – a Sra. Pompaday começou.

– Meus amigos! – Christina disse contente, aparecendo na porta.

279

Depois das apresentações necessárias – "Você tem um filho notável", disse à Sra. Pompaday, que assentiu feliz – Christina os levou em meio ao aperto dos visitantes ao terceiro andar, onde os desenhos das *Virtudes* de Dürer estavam expostos de maneira proeminente em uma parede. Marvin agarrou-se no punho de James e esperou, tentando vê-las melhor.

Com o forro e a moldura, eram imponentes apesar do tamanho minúsculo. Vendo-as juntas, de alguma maneira, fazia você olhá-las de uma maneira mais íntima, pensou Marvin, comparando instintivamente as quatro figuras. *Fortaleza* parecia mais determinada e corajosa, *Justiça* ainda mais severa e triste ao lado de suas irmãs.

Eram comovedoras. *Ninguém consegue desenhar como Dürer*, pensou Marvin, *nem mesmo eu*. De súbito e sinceramente, esperou não ter nunca mais de copiar nenhum desenho. Estava cansado disso. Queria fazer alguma coisa dele mesmo.

— Reparei detalhes que nunca tinha visto antes — Christina disse, entusiasmada. — A linha do queixo de Prudência, a maneira como Justiça pousa sua mão. É como se os desenhos falassem um com o outro.

Karl sorriu para ela.

— Eles foram feitos para ficarem juntos — disse. — Dá pra ver.

— Com certeza, formam um conjunto maravilhoso — a Sra. Pompaday acrescentou, não querendo ficar atrás. — James, você deveria pensar em fazer um grupo de miniaturas como essas. Seria encantador, realmente. — Virou-se para Christina. — Ele tem um dom, você sabe — confidenciou.

— Ah, seu sei — disse Christina, sorrindo para James.

Ele tem mesmo um dom, Marvin queria dizer. *Só não é o que vocês pensam que é.*

— Esta exposição vai trazer uma nova atenção a Dürer — continuou Christina. — Posso sentir isso. O público do museu hoje já está batendo o recorde. Tivemos vários telefonemas da mídia. A recuperação dos desenhos está tendo cobertura internacional. Acho que Dürer finalmente vai receber o interesse que merece!

Enquanto os outros continuavam a admirar os desenhos, James a puxou de lado.

— E o Denny? — perguntou, ansioso. — A polícia sabe onde ele está?

Christina balançou a cabeça.

— Estão vigiando os aeroportos da Alemanha. Nada ainda.

— Você acha que vão pegá-lo?

Christina franziu os lábios.

— Não sei, James.

– Espero que não – disse James. – Eu gosto de Denny.

– Eu também – Christina suspirou.

James olhou para ela, sério:

– Você acha que ele está furioso comigo? – perguntou.

– Ah, não, James, não acho isso – respondeu, com firmeza. – Acho que, onde quer que esteja, de alguma maneira, deve estar aliviado. Ainda que as coisas não tenham saído como planejou, pelo menos terminaram. – Inclinou a cabeça, olhando para as quatro miniaturas. – É como quando você conta uma mentira e então tem que contar mais mentiras por causa da primeira, para cobri-la. Você já fez isso alguma vez? E mesmo que seja horrível e constrangedor ser pego, é também um alívio em algum nível... sabe? Porque então você pode parar de fazer o que, para começo de conversa, desejava não ter feito.

James olhou para ela.

– Sim. Eu sei o que você quer dizer – disse, por fim.

Marvin sabia que ele estava pensando em seus próprios desenhos. Era tão complicado e cansativo manter a artimanha do gênio artístico de James. E quando isso terminaria?

– Então – Christina continuou. – Acho que Denny provavelmente está agradecido a você. Ou talvez não esteja agora, mas ficará.

– Nós o veremos outra vez?

Christina fez uma pausa.

– Não sei. Ele cometeu um crime sério. Se aparecer aqui nos Estados Unidos, irá para a cadeia. E eu sei que os agentes do FBI conversaram com a polícia alemã para ver se é possível ligá-lo a outros roubos.

James mordeu o lábio.

– Tomara que ele não tenha que ir para cadeia.

— Entendo — Christina disse, gentil.

— Bom, esta é uma exposição muito impressionante — exclamou a Sra. Pompaday, vindo para o lado deles. — Mas fizemos reservas em um pequeno restaurante francês no Upper West Side, aqui perto, e temos que ir. Foi um prazer conhecê-la, Srta. Balcony.

— O prazer foi meu — disse Christina. — Obrigada por me emprestar seu filho maravilhoso.

— Ah, ora, fiquei contente por ele ter aulas com você. Foi uma oportunidade muito especial para James.

Christina sorriu, divertida.

— Não acho que tenha muita coisa que eu possa ensinar a James.

Ela os acompanhou até a saída do museu, e enquanto o Sr. e a Sra. Pompaday desciam o longo lance de escadas com o carrinho de William, virou-se para Karl.

— Obrigada — disse. — Por toda a sua ajuda. Foi realmente muito bom conhecer vocês dois.

— Nós não veremos você outra vez? — James perguntou, parecendo chateado. Marvin sentiu uma onda semelhante de desapontamento. Não havia passado pela cabeça dele que teriam que se despedir de Christina.

— Ah, claro! — disse. — Qualquer hora que você quiser. Espero que você mantenha o contato. — Pousou a mão no braço de Karl.

Ele olhou para ela, e Marvin viu o rosto dele ficar do mesmo tom de rosa que o de James quando ficava envergonhado com alguma coisa.

— Talvez possamos tomar um cafezinho qualquer hora dessas? — perguntou, hesitante.

Christina sorriu.

— Com certeza. Eu gostaria muito.

– Ótimo. Eu lhe telefonarei – disse Karl, sobre os ombros, descendo com James as escadas atrás dos Pompadays.

Quando chegaram à calçada, inclinou-se e beijou o topo da cabeça de James.

– Amo você, companheiro.

– Sei, papai – James disse. – Eu também amo você.

– Faremos alguma coisa na quarta, combinado?

A Sra. Pompaday interrompeu.

– Vamos ver, Karl. James talvez precise desse tempo para trabalhar em novos desenhos.

James ficou constrangido, mas Karl olhou para ele compreensivo:

– Bom, falaremos sobre isso mais tarde – disse. Ele desarrumou os cabelos de James, depois se dirigiu para a calçada.

No meio-fio, o Sr. Pompaday fez sinal para um táxi. William começou a reclamar. Arqueou suas costas em protesto, batendo com os pés no descanso do carrinho.

– Oh, queridinho – disse a Sra. Pompaday. – Sim, sim, você está com fome. Nós já estamos indo. – Tirou-o do carrinho e o colocou no braço do Sr. Pompaday, pedindo – James, põe o carrinho no porta-malas, tá?

Enquanto James dobrava o carrinho e o passava para o motorista, Marvin sentiu-o hesitar. Foi apenas um segundo, mas naquela fração de tempo, Marvin ficou rígido, *Não, James!*, pensou, sentindo o que estava prestes a acontecer mesmo antes de ter conscientemente entendido isso.

Viu a mão direita de James se estender para o porta-malas no exato momento que o motorista batia para fechá-lo.

Houve um som enjoativo e um som de pancada torcida quando o metal do porta-malas bateu em alguma coisa que não deveria estar ali. E um grito angustiado.

James deu um pulo para trás, soluçando de dor, segurando sua mão direita.

Não, não, não, Marvin pensou, a palavra pulsando em sua cabeça, enquanto ele se agarrava no outro punho de James.

– James! – a Sra. Pompaday gritou.

■ ■ ■

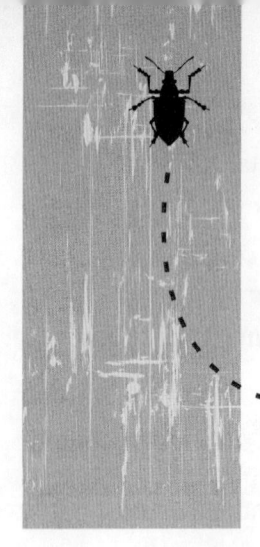

38 - Obra-Prima

Foi em uma tarde ensolarada de inverno alguns dias mais tarde que Marvin, ao sair de sua casa, encontrou um pequeno pedaço de papel atrás da lixeira, com um X tremido e preto. Seu coração pulou. Ele não tinha visto James desde seu acidente. Houve uma enorme comoção aquele dia: uma corrida frenética de táxi até o hospital, James bravamente tentando conter as lágrimas, os Pompadays ruidosamente culpando a si mesmo e ao outro por terem pedido a James para colocar o carrinho de William no porta-malas. ("E se sua mão não se recuperar? E se ele nunca mais puder desenhar? Eu nunca me perdoarei! Nunca!", a Sra. Pompaday jurou.) Depois, no hospital, Marvin foi obrigado a se segurar para não cair quando a jaqueta foi jogada de lado, e a mão de James foi examinada e passada pelo raio-x e engessada.

– O dano será permanente? – a Sra. Pompaday perguntava ansiosa a cada médico que passava pelo quarto.

– Quebrou feio – um médico disse. – Mas, com fisioterapia, ele deve ficar bom.

– Não, não, o senhor não entende – a Sra. Pompaday persistiu. – Meu filho é um artista, e muito talentoso. Ele faz aqueles maravilhosos desenhos em miniatura...

O médico a interrompeu.

– Temos que esperar e ver como ele se cura.

De volta à casa, Marvin repassava sem parar a cena da rua em sua cabeça. James tinha feito de propósito? Não havia como saber. Mas quando contou a Mama e Papa sua suspeita, eles ficaram atônitos.

– É claro que ele não quebrou deliberadamente sua própria mão! – Mama exclamou. – James nunca faria uma coisa dessas.

– Além disso, quem sabe como esse machucado vai afetar o uso da mão dele? – Papa acrescentou. – Esqueça o desenho; e se James não puder jogar beisebol outra vez? Ou escrever seu nome de modo adequado? Ele é um garoto demasiado inteligente para correr esse tipo de risco.

Marvin esperava que seus pais estivessem certos, mas não tinha certeza. Sabia como James estava desesperado para não ter mais de fingir um talento que não tinha.

Marvin havia visitado o quarto de James muitas vezes nos últimos dias, mas de alguma forma não conseguia encontrá-lo. Até deu um jeito de demorar debaixo da mesa durante o jantar dos Pompadays, só para escutar James descrever a reação dos garotos da escola a sua mão quebrada e a história dos desenhos roubados. Aparentemente, juntaram-se em volta dele, cheio de perguntas e admiração. Disputaram a chance de escrever em seu gesso. Queriam sentar perto dele na hora do recreio. Marvin esperava que a coisa toda fizesse de James uma celebridade durante algum tempo. Seria bom para James ter mais amigos humanos.

Mas não SÓ amigos humanos, pensou Marvin, sentindo-se solitário por ele. Há muitos dias não se viam, depois de passarem tanto tempo juntos. Não era nem a quantidade de tempo, era a sua intensidade – tanta coisa tinha acontecido aos dois. Marvin sentia-se modificado por isso, e sabia que James era o único que poderia realmente entender isso.

– Qual é o problema, querido? – sua mãe lhe perguntou uma noite.

– Sinto falta de James – disse Marvin. – Você acha que ele se esqueceu de mim?

– Ah, não, querido, é claro que não! Sei que não. Venha aqui comigo. Tenho algo a lhe mostrar.

Pegando-o gentilmente pela perna, Mama o levou pela sala de estar até o estreito corredor que conecta a casa deles com a casa de Albert, Edith e Elaine. Marvin viu uma nova abertura na parede do corredor.

– O que é isso? – perguntou.

– Olhe lá dentro – Mama disse, sorrindo.

Marvin prendeu a respiração. Depois da porta, havia um novo quarto, recém-cavado. Pó branco de argamassa espalhava-se pelo piso. No centro, havia uma pequena tampa de garrafa cheia de tinta, coberta com um fino pedaço de cobertura plástica. Vários pequenos pedaços rasgados de papel estavam empilhados perto.

– Mama! Que lugar é este? – Marvin exclamou.

Sua mãe abriu um grande sorriso para ele.

– Um estúdio, querido, um verdadeiro estúdio de artista, só

para você! Seu pai e tio Albert trabalharam nele o dia todo. E de onde você acha que a tinta e o papel vieram?

Marvin sabia.

– Ele deixou tudo no armário ontem. Até a tinta coberta com plástico para durar mais... ele não é mesmo um garoto esperto e atencioso? – Mama o abraçou. – Desse jeito, você pode desenhar sempre que quiser. E o que quiser, Marvin.

Marvin sentiu seu coração aumentar tanto que poderia explodir sua casca.

No dia seguinte, Marvin ficou emocionado ao ver o pedaço de papel com o X, no canto da lixeira. Apressou-se até o quarto de James um pouco antes das quatro horas. James estava deitado em sua cama, lendo, com seu gesso apoiado desajeitado em um ângulo. Quando Marvin atravessou a extensão tediosa do tapete, viu com satisfação que James ficava lançando olhares para o topo da escrivaninha. Com certeza, James não o esquecera! *Estava esperando por mim*, Marvin pensou.

– Ah! – escutou o grito de James. – Aí está você, carinha! Deixe-me lhe dar uma carona. – Levantou-se da cama e deixou seu gesso cair na frente de Marvin, sorrindo.
– O que você acha? – perguntou. – É bem grande, não?
– O branco do gesso estava escurecido por assinaturas e rabiscos feitos com canetas coloridas. – Todo mundo da minha classe assinou, e quase metade da classe da professora Kellog também. Eles adoram isso.

Marvin com esforço subiu no gesso, e James o levantou.
– Você pegou a tinta? E o papel? Eu verifiquei que eles não estavam mais lá, então imaginei que tinha dado certo. Assim, você vai poder continuar desenhando! E quando precisar de mais tinta, basta deixar a tampa do lado do armário que eu a encho outra vez. Combinado?

Marvin sorriu para ele.

James o levou para o outro lado do quarto.

– Queria que você viesse aqui porque tenho uma coisa para lhe mostrar – anunciou, quase sem conseguir esconder o entusiasmo. Foi até a parede do quarto e parou a alguns centímetros de distância, mantendo o gesso levantado. – Olha!

Ali, na frente deles, estava o desenho de Marvin da rua, com um lindo forro e moldura. Estava pendurado perto da janela, uma réplica minúscula da cena do lado de fora com seu poste de luz e árvores e telhados.

Marvin ficou olhando. Este era o desenho que pensou que James tivesse vendido. Para os Mortons, por quatro mil dólares. Como podia estar aqui, em seu quarto, pendurado na parede como um quadro verdadeiro? Como algo que poderia estar em um museu.

– Não está maravilhoso? – James continuou, feliz. – Christina emoldurou-o para mim. E adivinhe só. Ela vai emoldurar a sua *Fortaleza* também, e me dar. Ela disse que era o mínimo que podia fazer depois de toda a minha ajuda. – Riu para Marvin. – Toda a nossa ajuda.

Marvin olhou para James, atônito. Ele também veria sua *Fortaleza* outra vez! Mal podia esperar para mostrá-la para Mama e Papa e todos os seus parentes.

Jamais apoiou seu gesso na parede perto do quadro para que Marvin ficasse bem perto de sua pequena cena da cidade.

– Você está surpreso, não é? Achava que eu tinha vendido o desenho. E era para ser vendido, mas depois do que aconteceu com a minha mão, minha mãe não teve coragem. Ela está toda preocupada pensando que talvez eu nunca mais possa fazer outra. E – sorriu – não poderei.

James flexionou seus dedos e examinou o gesso.

– Poxa, como doeu! Mas deu certo no final. Você e eu, nós não poderíamos continuar fazendo esses desenhos, sabe? Eu queria que tivesse uma maneira de contar para todo mundo a verdade. Mas seria difícil demais. E fiquei com medo do que eles poderiam fazer com você... sabe?

Marvin olhou para James, sentindo uma onda cálida de alguma coisa que nunca sentira antes. Era mais do que felicidade. Mais do que afeto ou gratidão. Era algo mais profundo. Era a sensação de ser visto e amado exatamente pelo que ele era.

Não da maneira que seus pais o amavam, que era tão firme e certa quanto a lâmpada brilhando toda noite na rua do lado de fora da janela de James. Isso era diferente: a sensação de ser escolhido. Entre todas as pessoas do mundo, Marvin compreendeu, esse garoto o escolhera como aquele a quem amar mais.

– Seja como for – James estava dizendo. – Minha mãe decidiu que não poderíamos vendê-lo porque pode ser minha última grande obra-prima e teríamos que ficar com ele. Ela queria colocá-lo na sala de estar, claro, para que mais pessoas pudessem vê-lo.

Riu.

– Mas ele fica ótimo aqui, você não acha? É como ter outra janela na parede... uma realmente minúscula. E sabe o quê? Se *você* tivesse um quartinho nesse mesmo lugar, perto do meu, isto seria o que você veria de *sua* janela.

Marvin sorriu. Era verdade. Era a janela de James em miniatura, na escala perfeita para um besouro.

– Você nunca adivinhará o que vou fazer esta noite – James disse, levando Marvin para sua escrivaninha e abaixando gentilmente seu gesso para o tampo. Marvin desceu e olhou para ele, esperando. – Vou jantar com meu pai – parou, sorrindo – e Christina! Eles vão me levar para comer uma pizza. – Abaixou a voz, como um conspirador. – Acho que meu pai gosta dela.

Karl e Christina. Combinam muito bem, pensou Marvin. Seria como uma segunda família para James... uma família diferente, de artistas.

James riu de repente.

– Sabe de uma coisa? Você é meu melhor amigo. Não é engraçado?

Marvin sorriu radiante para ele.

Uma grande amizade é como uma grande obra de arte, ele pensou. Precisa de tempo e atenção, e uma centelha de algo que era impossível descrever. Era um feliz acidente da sorte encontrar uma parte semelhante de você mesmo em um total estranho.

Houve uma batida na porta e Marvin escutou a voz de Karl.

– Tenho que sair agora – James lhe disse, colocando-o gentilmente na escrivaninha. – Papai está aqui. Mas vejo você amanhã. Ou verei se tem um X atrás da lixeira!

Ele pegou sua jaqueta do armário e acenou para Marvin.

– Tchau, carinha.

Marvin levantou uma das pernas e acenou em resposta.

Quando o quarto ficou vazio, rastejou até a beira da escrivaninha e olhou pela janela. Pensou em todas as coisas que ele e James poderiam fazer juntos quando a primavera chegasse. Poderiam dar longas caminhadas. Poderiam ia ao parque. Poderiam visitar o Met com Karl e Christina, e então Marvin poderia voltar para seu pequeno estúdio e fazer seus próprios desenhos.

Marvin sorriu consigo mesmo. Havia todo um grande mundo esperando para ser explorado, e não havia ninguém com quem mais gostaria de fazê-lo do que James.

■ ■ ■

NOTA DA AUTORA
SOBRE A ARTE

Nesta história, toda a informação de pano de fundo sobre Albrecht Dürer e seus contemporâneos é verdadeira, mas os quatro desenhos das *Virtudes* de Dürer são puramente uma fantasia de minha imaginação. Dürer fez realmente vários desenhos em miniatura, à tinta, com o nível de detalhe descrito aqui. Foi também um grande admirador do artista da Renascença italiana, Giovanni Bellini, que fez realmente um desenho em miniatura de *Fortaleza* (a moça em corpo a corpo com o leão), que está de verdade no Museu J. Paul Getty, na Califórnia, e é descrito nesta história.
Ele é reproduzido abaixo.

Giovanni Bellini, *Fortaleza*, cerca de 1470.
Pena e tinta marrom, aproximadamente 3,5 polegadas quadradas.
Cortesia Museu J. Paul Getty, Los Angeles.

SOBRE O ROUBO

Exceto pelos roubos dos meus desenhos fictícios das *Virtudes*, todos os outros roubos descritos no livro realmente aconteceram, e existe uma unidade especial da FBI centrada na recuperação de objetos de arte roubados. No entanto, por razões compreensíveis, os museus e as agências encarregados do cumprimento da lei são muito relutantes em compartilhar informações sobre suas práticas de segurança. Os detalhes nesta história referentes ao roubo da *Fortaleza* do Met e os procedimentos do FBI são puramente ficcionais.

SOBRE OS BESOUROS

Marvin e sua família foram pensados como parte de uma espécie de besouro de solo, dos quais existem mais de duas mil variedades. A duração de vida deles pode chegar a três ou quatro anos, e, embora em geral vivam ao ar livre, algumas vezes perambulam pelo interior das casas e permanecem. A maioria das espécies não voa. Comem vários tipos de alimentos e tendem a ser mais ativos à noite.

Dürer, *Besouro Macho*, 1505.
Cortesia do Museu J. Paul Getty, Los Angeles.

AGRADECIMENTOS

Em um livro sobre amizade, é um prazer especial agradecer às seguintes pessoas que são tão importantes em minha vida: minha editora, Christy Ottaviano, cujo olhar cuidadoso e atenciosa perspicácia melhoraram de maneira imensurável meu trabalho; minha irmã, Mary Broach, que tem um dom para reagir a um manuscrito simultaneamente como mãe, ex-criança e crítica; e meu vasto grupo de leitoras de enorme talento, que são também amigas maravilhosas – Jane Burns, Claire Carlson, Laura Forte, Jane Kamensky, Jill Lepore e Carol Sheriff. Tenho sorte de tê-las.

Sou também agradecida a vários jovens leitores e ouvintes – Jane e Margaret Urheim, e Gideon e Simon Leek – por suas reações proveitosas a uma versão deste livro. Agradecimentos especiais à Caroline Meckler por compartilhar seu conhecimento sobre o Metropolitan Museum of Art, e à equipe da Holt por fazer um excelente trabalho em introduzir meus livros no mundo.

Finalmente, um grande e interminável agradecimento a toda a minha família – meu marido, Ward Wheeler, e meus filhos, Zoe, Harry e Grace – pela flexibilidade, entusiasmo e apoio. Anos atrás, em um restaurante chinês, o papelzinho do meu biscoito da sorte dizia: "Sua família é uma das obras-primas da natureza". Acredito nisso.

SOBRE A AUTORA E A ILUSTRADORA

ELISE BROACH é a autora dos elogiados livros *Shakespeare's Secret* e *Desert Crossing*. A ideia para *Masterpiece* começou quando perdeu sua lente de contato na pia do banheiro. Ela ficou sentada no piso de azulejo por uma hora tentando inutilmente soltar o cano, e fantasiou sobre como seria maravilhoso se uma criatura minúscula pudesse buscar sua lente. Escreveu os primeiros capítulos da história naquela noite, mas só voltou ao texto depois de vinte anos. Elise se formou em história pela Universidade de Yale. Mora com sua família em Easton, Connecticut.

www.elisebroach.com

KEELY MURPHY ilustrou muitos livros para crianças, incluindo *Hush, Little Dragon*. Mora em North Attleboro, Massachusetts.

www.kelmuphy.com

■ ■ ■